D0963274

DES HOMMES ILLUSTRES

DU MÊME AUTEUR

LES CHAMPS D'HONNEUR, *roman,* 1990
DES HOMMES ILLUSTRES, *roman,* 1993
LE MONDE À PEU PRÈS, *roman,* 1996
LES TRÈS RICHES HEURES, 1997
POUR VOS CADEAUX, *roman,* 1998
SUR LA SCÈNE COMME AU CIEL, *roman,* 1999

Chez d'autres éditeurs

LE PALEO CIRCUS *(Flohic Éditions)*
ROMAN-CITÉ dans PROMENADE À LA VILLETTE (Cité des Sciences/Somogy)
CADOU, LOIRE INTÉRIEURE (Editions Joca Seria)
CARNAC ou LE PRINCE DES LIGNES (Seuil Jeunesse)

JEAN ROUAUD

DES HOMMES ILLUSTRES

LES ÉDITIONS DE MINUIT

7, rue Bernard-Palissy, 75006 Paris

ISBN 2-7073-1688-1

I

En milieu d'après-midi il avait grimpé sur le toit en tôle de la remise, sous laquelle sèche le linge, pour tailler les branches du prunier qu'une tempête d'hiver avait emmêlées aux fils téléphoniques. C'était prudent. Un prochain coup de vent risquait de tout arracher, nous coupant provisoirement du monde extérieur. Non que Random occupât une vallée perdue à l'écart de la civilisation, mais nous devions à notre téléphone d'appartenir à une sorte de caste, d'aristocratie locale. Les gens de la campagne, qui n'en étaient pas encore dotés et hésitaient à confier le nom de leur correspondant à l'opératrice, avaient pris l'habitude de venir appeler de chez nous plutôt que de la poste, nous expliquant à demi-mot que nous n'irions pas rapporter, en les déformant, les bribes de conversations que nous ne chercherions pas à entendre. On prenait d'autant plus de soin à bien refermer la porte du bureau et à se boucher les oreilles pour ne pas ressembler à la demoiselle des PTT. Du coup, diminués par cette confiance qui nous honorait, on n'osait rien demander pour la communication. Mais nous tenions à ce privilège.

A la mauvaise saison, le vent de l'Atlantique ne

se contentait pas seulement d'arracher les fils téléphoniques. Par la même occasion il nous privait aussi d'électricité. Selon l'ampleur des dégâts, il nous fallait attendre plus ou moins longtemps, des heures parfois, avant le retour du courant. Le temps de rafistoler un câble, de redresser un pylône, de réparer un transformateur. Le soir, quand brutalement la maison sombrait dans l'obscurité, on s'assurait d'abord qu'il ne s'agissait pas seulement de notre compteur. Il nous suffisait d'entrebâiller la porte du magasin et de jeter un coup d'œil par la grande baie vitrée de la devanture où un lampadaire, fixé sur la façade à hauteur du toit, découpait dans la pénombre un cône de lumière tamisée. Si la panne touchait tout le secteur, on débouchait alors sur un trou noir. Le bourg, envahi par une nuit sans faille, laissait tout juste deviner la silhouette massive des hautes maisons ceinturant la place, et celle plus imposante de l'église. Cette apparence de ville fantôme, ce côté Londres pendant le blitz, on se surprenait à frémir. On se rappelait les récits des bombardements sur Nantes pendant la seconde guerre, quand on imposait à la population, tous feux éteints, de faire le mort.

De temps à autre, émergeant du haut de la place, une voiture prenait dans ses phares les torches secouées par la bourrasque des trois peupliers d'Italie, disposés en triangle autour de la pompe municipale, avant d'entamer une rapide descente, d'éclairer une fraction de seconde la bouteille de Saint-Raphaël peinte au pignon du café-tabac, et de disparaître dans le virage en replongeant le bourg dans un silence obscur. Le plus vaillant était le cycliste solitaire qui gravissait la côte face au vent, dodelinant, zigzaguant, le faisceau fluet de son ampoule balayant la route devant lui, dégageant un coin de lumière dans cet espace d'encre, le feu rouge sur le garde-boue arrière continuant longtemps à escalader la pente, s'arrêtant, s'inclinant légèrement, et repartant du pas du piéton qui pousse sa bicyclette, les mains sur le guidon. Depuis peu, le catadioptre présentait une forme rectangulaire sur les nouveaux modèles, ce qui nous permettait, même au milieu des ténèbres, sur ce seul indice, de distinguer un nanti. A la mode d'ici, s'entend, car ne s'offraient des bicyclettes neuves que ceux qui n'auraient jamais d'auto, trop vieux, ou les femmes, encore peu nombreuses à se lancer dans l'aventure du permis de conduire, trop moquées.

Quelquefois aussi, perçant la nuit, on distinguait une timide lueur à la fenêtre de la vieille Maryvonne, au-dessus de son épicerie. Comme elle avait l'habitude de s'endormir en lisant, que « brûler du courant » pendant son sommeil dérangeait son sens des économies, elle avait inventé de s'éclairer avec des morceaux de bougie, qu'elle découpait de manière que la mèche s'éteignît d'elle-même après un temps calculé sur sa résistance à la lecture. Elle pouvait ainsi s'assoupir tranquille, les lunettes sur le nez, bien calée dans ses oreillers, le livre échappé de ses mains. Il lui arrivait même, à l'entendre, de le reprendre au petit jour au milieu d'une phrase, comme si son sommeil n'avait duré qu'un battement de paupières. Tous les voisins s'alarmaient qui la voyaient mourir grillée, eux avec, et tout le quartier dans un gigantesque autodafé. Ils essayaient bien de la dissuader : qu'elle risquait pour sa vie, qu'elle s'abîmait les yeux, que ce n'était pas la peine d'avoir un compteur, que c'était des économies de bouts de chandelle, mais Maryvonne finaude répondait du tac au tac : « Et qui va me payer mon électricité ? » Comme personne ne se proposait, cela donnait du poids à son argument. D'autant que son éclairage à l'ancienne avait le mérite d'être peu coûteux : vu qu'elle avait en charge l'entretien de l'église, on la soupçonnait de récupérer des morceaux de cierges, ceux qui restent plantés sur les pics et dont la cire fondue a noyé la mèche.

Le lendemain d'une coupure de courant importante, elle jouait à l'étonnée en regardant par-dessus ses lunettes. Ah bon ! Elle ne s'était aperçue de rien. Ce petit sourire voltairien au coin des lèvres – elle se remboursait ainsi des réflexions désagréables à son sujet. Et, manière d'enfoncer le clou : « Dans le temps – et qui était encore un peu le sien –, on n'avait pas ce genre de problème. »

Nous non plus. Nous avions les lampes à pétrole. Quand la preuve était faite que tout le bourg était logé à la même enseigne, on les sortait du placard sous l'escalier, avec mille précautions pour ne pas déséquilibrer les fragiles tubes de verre et risquer, en les inclinant, de renverser une goutte de liquide qui poissait le pied des lampes et dont l'odeur âcre remplissait la maison. Jamais, après usage, maman ne les aurait rangées sans les avoir soigneusement nettoyées et réemballées dans des poches en plastique, maintenues par des élastiques, afin de les préserver de la poussière. De leur propreté dépendait la beauté de l'éclairage.

Les premiers hommes n'avaient sans doute pas une figure plus grave quand ils domestiquaient le feu. On escortait les lampes du couloir à la cuisine en grattant des allumettes pour ouvrir le chemin, jusqu'à ce que, déposées l'une au centre de la table, l'autre près du fourneau, elles fassent toute la pauvre lumière. Une lumière très douce qui projetait nos ombres agrandies sur les murs et qui nous liait plus fort les uns aux autres tandis qu'au-dehors le vent soufflait en rafales. Enveloppés dans ce clair-obscur apaisant, on se serrait autour de la table, incapables de détacher nos regards de l'anneau incandescent sous sa cheminée de verre à l'extrémité de la mèche serpentine baignant dans le réservoir bleuté en forme de bulbe écrasé. Comme pour se chauffer, on approchait les mains de cette source lumineuse et, manière de jouer avec le feu, on improvisait bientôt un petit théâtre d'ombres chinoises. Régulièrement nos revues d'enfant, à la rubrique « Comment occuper tes jeudis pluvieux », nous expliquaient, croquis à l'appui, la marche à suivre. Mais on avait beau s'appliquer, se tordre les doigts, on ne constatait d'une fois sur l'autre aucun progrès. Le canard se confondait avec le chien, l'âne avec le lapin, l'éléphant devait se contenter d'un index ballant pour sa trompe, et le dromadaire ne comptait plus ses bosses. Quant au chef indien, le seul humain de notre ménagerie fabuleuse, sa coiffe de plumes composée de cinq doigts écartés le faisait ressembler à une pelote d'épingles. Finalement, on en revenait à ce qu'on réussissait le mieux : l'oiseau, qui consiste simplement, en reliant les pouces, à battre des mains dans un lent mouvement d'ailes. Un oiseau indéfinissable, mais qui avait au moins le mérite de s'envoler au bout de nos bras, comme une colombe sortie de la manche.

Pour moduler l'intensité de l'éclairage, il fallait manœuvrer la petite molette de cuivre qui, au niveau du brûleur, règle la hauteur de la mèche. Celle-ci était-elle trop longue, à la pointe de la flamme étirée en un fuseau rouge sombre s'élevait un filet fuligineux qui traçait au plafond un disque noirâtre. EDF avait depuis longtemps renforcé son réseau, les coupures n'étaient plus qu'un lointain souvenir, que le plafond de la cuisine gardait encore les stigmates de ces soirées à la chandelle.

Mais les dommages pouvaient être plus considérables. Une nuit, une lampe oubliée recouvrit tout le magasin d'une uniforme couche de suie. Au matin, l'espace était envahi de fines particules noires en suspension qui flottaient, légères comme une nuée de moucherons au bord d'un étang, tourbillonnaient d'autant plus qu'on s'approchait de la lampe, et rendaient l'air irrespirable. On s'en gavait le nez et la gorge. Il suffisait d'entrebâiller la porte pour se faire la tête d'un ramoneur. Maman dut s'équiper de pied en cap, s'emmitoufler d'un vieux pardessus, avant de s'enfoncer bottée, gantée, encapuchonnée, dans le nuage de cendres, et d'extraire la lampe coupable qui continua longtemps de cracher son panache de fumée sur le trottoir. Quand peu à peu les particules se furent déposées, qu'on y vit, manière de dire, plus clair, maman fit l'aveu que les bras lui en tombaient, et puis qu'elle rêvait – mais peut-être que non. Le spectacle était désolant : vision post-atomique comparable à ce que les futurologues nous prédisent quand les incendies allumés par le feu nucléaire recouvriront la terre d'un enduit grisâtre. D'une portée moindre, mais aussi efficace, nous venions d'expérimenter la bombe à pétrole. Les étagères qui supportaient les coupes de céramique aux couleurs éclatantes, orange, vert ou jaune citron, celles où s'empilait la porcelaine blanche sertie, sur certains modèles, d'un liseré d'or, la console qui alignait les services de verres en cristal délicatement taillé, le rayon des marmites émaillées rouges, tout avait viré à l'anthracite, comme si l'ensemble du magasin avait été immergé dans un bain de goudron. Monde monochrome que nous colportions sous nos semelles, car, en dépit de nos précautions, on ne pouvait éviter d'en mettre partout. On avait beau s'essuyer cent fois les pieds sur les paillassons, le linoléum conservait les empreintes de nos va-et-vient comme autant de pas de danse d'une chorégraphie alambiquée. Et comme il fallait bien malgré tout sortir pour les courses, on nous faisait remarquer au retour : vous êtes allés à la boucherie, non ? Bien sûr. Ce n'était pas sorcier à deviner. Il n'y avait qu'à suivre les traces.

On ne savait par quel bout commencer. Le premier coup d'éponge fut donc donné au hasard, sur un coin d'étagère, et il ajouta au découragement : la suie délayée en une boue charbonneuse s'étalait sous la vaisselle, s'incrustait plus profondément dans les rainures du bois, déclenchait une minimarée noire qui dégoulinait le long des portes des placards en dessinant une carte du Tendre où toutes les branches du fleuve conduisaient à Désespérance. Quant à l'éponge, après deux passages envers-endroit, elle était bonne à jeter.

Par chance, nous étions un samedi, papa, qui était représentant de commerce, allait bientôt rentrer de sa tournée hebdomadaire. Les curieux venus constater l'étendue du désastre en hochant la tête d'un air compatissant avaient tous conclu de la même façon : ne rien faire avant le retour de Joseph. Joseph saurait. Peut-être en raison des épreuves que la vie lui avait réservées, on s'accordait à lui reconnaître dans l'adversité une efficacité supérieure. Ce qui était vrai. Nous étions les premiers à en bénéficier. Par exemple, s'il arrivait à la voiture de tomber en panne à deux heures du matin sur une route déserte de campagne, on ne pensait même pas à s'inquiéter. Dans de telles circonstances, d'autres s'affolent, verrouillent les portières et bivouaquent recroquevillés sur les sièges en attendant le petit jour et le passage d'un tracteur. Nous, on était sûrs qu'il trouverait la solution. Il soulevait le capot de la 403, projetait le rayon de sa lampe de poche sur le moteur, se penchait, rejetait sa cravate dans le dos, testait quelques pièces, et avec un bout de fil de fer et un bas de maman réalisait un pansement de fortune qui nous permettait d'arriver à bon port. Il tirait une fierté légitime de ses rafistolages et de ses dons d'improvisation. Son côté Léonard – le sens esthétique en moins. Il avait ainsi inventé de chauffer la grande chambre donnant sur la rue en la faisant traverser par le tuyau du poêle du magasin situé au-dessous. L'idée lui en était venue à la lecture d'un article d'« Historia » (comme souvent les autodidactes, il était féru d'histoire et de vieilles pierres) sur le mode de chauffage par les murs d'une villa gallo-romaine. Le tuyau traversait le plancher, décrivait à l'aide de coudes et de suspensions une géométrie anguleuse dans la chambre, et retrouvait le conduit de la cheminée à un mètre au-dessus de la tête de lit, ce qui nous obligeait à faire très attention au moment du coucher et du lever, car un coup de tête, outre le désagrément, risquait de déséquilibrer le fragile édifice tubulaire. Il y eut des sculptures contemporaines du même ordre sur lesquelles on s'extasie encore. Mais nous, quand papa montrait à la famille ou aux amis son ingénieux système de chauffage, on se sentait plutôt gênés.

Il arriva en début d'après-midi et, à son habitude, rangea la voiture sur le parvis latéral de l'église en une manœuvre impeccable à force d'être répétée, puisqu'il la réalisait déjà à quatorze ans en cachette de son père. Tout un groupe l'attendait qui l'escorta de sa voiture au magasin en se bousculant pour lui donner les dernières nouvelles. Sa haute silhouette aux cheveux prématurément blanchis dominait le cercle des fidèles. On fit une première station devant la lampe noircie qui refroidissait sur le trottoir. Chacun guettait sa réaction en donnant son avis – pour la forme, car on se rangerait au sien. De lui, on disait que c'était « quelqu'un », ou « un monsieur », ou un type « comme ça », mais avec cette façon, par un haussement de sourcils, une mimique de la bouche, d'acquiescer à un sentiment intérieur beaucoup plus riche, beaucoup plus profond, qui traduisait bien davantage le respect, l'admiration, l'allégeance, que les pauvres expressions usuelles qui s'essayaient à le définir. Il en imposait.

Certains, qui n'avaient pas eu en la circonstance le beau rôle, n'avaient pas oublié comment, quelques années auparavant, il avait retourné le pays quand l'opinion quasi unanime avait décidé par représailles le boycott du médecin. Celui-ci se serait-il contenté d'achever ses patients, on aurait pu l'admettre : une erreur de diagnostic, une médication hasardeuse, une intervention ratée, l'homme est faillible. Ce qu'on lui reprochait était beaucoup plus grave pour le vieux pays blanc qui avait vu, deux siècles plus tôt, les armées de la République exterminer sur ses terres les dernières bandes vendéennes. Libre penseur, il avait choisi en accord avec ses principes de placer son petit garçon à l'école publique, laquelle abritait cinq ou six malheureux vilipendés par les hordes des écoles chrétiennes et condamnés, à plus long terme, à périr dans les flammes de l'enfer. Preuve de son honnêteté intellectuelle sans doute, mais idée saugrenue qui revenait dans un bref délai à mettre la clé de son cabinet sous la porte. Car la sentence n'avait pas traîné. Par prudence, on avait tout de même consulté le grand Joseph, dont on redoutait le manque d'engouement pour ce genre d'excommunication. De fait, il convoqua aussitôt une réunion des parents d'élèves et, au terme d'une séance houleuse où les petites mains de l'Inquisition brodèrent sur la manière d'envoyer l'impie au bûcher, prit la parole : « Je suis infiniment reconnaissant au docteur Monnier d'avoir sauvé ma femme et deux de mes enfants. Je ne vois pas au nom de quoi je changerais de médecin. » Fermez le ban. Le lendemain, la salle d'attente du bon docteur débordait à nouveau de patients.

Il ne manifesta aucun étonnement devant l'ampleur du sinistre, tandis qu'il promenait un regard circulaire sur les étagères endeuillées, se prêtant à un semblant d'inspection destiné surtout à rassurer son auditoire, se contentant, en guise de commentaire, de passer un index distrait sur la soupière d'un service de table, qui marqua la couche de cendres sur le couvercle d'une virgule blanche. Planté au milieu du magasin, essuyant à son mouchoir le doigt sali (maman se retenant de lui faire une remarque), il ne surprit pas son monde en déclarant qu'il ne voyait pas d'autre solution que de tout remettre en état. Comme si soudain sa capacité d'invention retombait au niveau du commun. Pour aboutir à la même conclusion on n'avait pas eu besoin de lui. L'attente était d'ordre liturgique : « Dites seulement une parole et mon âme sera guérie. » Il avait parlé et on n'avait pas avancé d'un pouce sur le chemin de la guérison. Du coup, certains s'enhardirent qui considéraient sous cet éclairage nouveau que la réputation du grand Joseph était somme toute surfaite. Il y avait une place à prendre. Ils postulaient déjà la succession, commençant à tirer des plans, indiquant la marche à suivre et proposant d'entamer les travaux dès lundi. « Tsst, tsst », coupa Joseph avec cette façon de claquer la langue contre le palais, « pas lundi. » – « Quand alors ? » – « Maintenant. » Joseph le magnifique venait de signer son retour.

Il monta au premier étage enfiler son pantalon de toile vieux-rose délavé comme en portent les marins pêcheurs, sa chemise de cotonnade à carreaux bleus et gris (sa tenue de combat pour les grands travaux ; sinon, pour les menues tâches, il bricolait en chemise blanche et cravate, manches retroussées), rassembla tout ce que la maison comptait de seaux, d'éponges et de serpillières, et entreprit de vider le magasin. Les putschistes, rentrés dans le rang, furent enrôlés sur-le-champ, une grande chaîne se fit. La vaisselle entreposée dans la cour était plongée dans plusieurs bacs en décoctions successives. Il fallait sans arrêt renouveler l'eau qu'on jetait, engraissée par les cendres, sur les massifs de fleurs, manière de tirer un petit profit de notre malheur. Mais l'eau était si sombre qu'on oubliait parfois au fond du bac une assiette qui allait se briser sur une pierre au pied d'un rosier.

Bientôt les parterres ennoyés demandèrent grâce. Notre épandage s'étendit à l'ensemble du jardin. Le soir, le sol était maquillé en terril.

Mais une vaisselle monumentale : des montagnes d'assiettes, de soupières, de verres, de casseroles, de faitouts, de bols, de marmites, services à café, services à dessert, à crème, à liqueur, coupes à fruits, plateaux à fromages, plats en terre, en faïence, en porcelaine à feu, en grès, plats plats, plats creux, ronds, carrés, ovales, moulins à café à main, électriques, moulins à légumes, presse-purée, louches, écumoires, passoires, l'équivalent de trois cents placards de cuisine vidés dans notre cour, à quoi s'ajoutaient les bidons à lait et leurs mesures en aluminium, les pots à fleurs de toutes tailles, les jardinières, les barattes, les saloirs, les bassines en plastique ou galvanisées, les bocaux à conserves, les rouleaux de toile cirée en trois largeurs (un mètre, un mètre vingt, un mètre quarante), les ampoules électriques, les balais, les brosses, un rayon quincaillerie, un autre de droguerie, mille bizarreries comme ces œufs en plâtre ou en bois qui servent de leurre pour inciter les poules à couver au bon endroit, sans oublier les couronnes mortuaires avec perles et strass, les croix en marbre ou en granit avec christ en bronze ou métal chromé, et les fleurs artificielles qui perdurent d'une Toussaint à l'autre et accompagnent plus longtemps les regrets éternels. Quand on trempa dans l'eau les petits sujets-baromètres qui changent de couleur selon le temps, on eut beau frotter, ils restèrent gris. On s'avisa que c'était normal en milieu humide. Quelqu'un eut l'idée de les placer dans le four pour qu'ils virent au rose.

L'ambiance était laborieuse. Les femmes se relayaient, soupiraient : « On n'en voit pas la fin », ou : « La suie, il n'y a rien de pire », ou, avec une note d'humour : « Et dire qu'il faudra recommencer ce soir. » Et, en fin d'après-midi qui vit-on arriver ? La vieille Maryvonne, un petit fichu moiré sur la tête, rabattu sur le front, finement noué sous le menton, comme si elle avait cherché à traverser la place incognito de peur qu'on la suspecte de revenir sur les lieux de son crime. Car de toute la journée elle avait fait figure d'accusée derrière son comptoir. Là où les mises en garde avaient échoué à la convaincre du danger que son mode d'éclairage représentait pour la commune, les événements cette fois plaidaient contre elle. La démonstration était parfaite : heureux que notre sinistre ne fût qu'un avertissement sans frais (pour les autres, s'entend), mais il fallait y voir la pose de la première pierre à feu qui allumerait l'étincelle de l'holocauste final auquel elle nous exposait tous. Au fil des heures, la vaillante Maryvonne avait organisé sa défense, mais son distinguo entre les bougies et la lampe à pétrole n'avait convaincu personne, elle le sentait bien. Alors, ébranlée par la puissance des faits, plus sûrement pour soutenir les membres en détresse de son club occulte, elle avait prématurément fermé son épicerie, fourré dans un cabas une blouse et une paire de vieux sabots de bois à sangles de cuir, et, bravant le regard de ceux qui interprétaient déjà son geste solidaire comme l'aveu de sa culpabilité, elle avait proposé son aide au groupe des femmes attelées à la monstrueuse vaisselle.

Pendant ce temps, les hommes lessivaient le magasin du sol au plafond. Le grand Joseph montrait l'exemple, répartissant les tâches et annonçant les pauses quand les bras se faisaient lourds. « Pas de refus », disaient les travailleurs à qui on tendait un verre, et ce contentement qu'ils affichaient après la première gorgée, c'était le signe que la gorge était sèche et le verre mérité. Avant dix heures, la première couche de peinture était donnée. Les murs et les étagères présentaient une teinte ivoire qui ne correspondait pas tout à fait à celle qu'indiquait la pastille sur le couvercle des pots, mais les fabricants n'étaient pas en cause. C'était un mélange inédit : il suffisait de regarder le visage des ouvriers à la sortie, tavelé de gouttes crème et de noir de fumée. Sur une proposition de maman, certains acceptèrent de prendre une douche, d'autres se contentèrent de plonger leurs puissants avant-bras dans une bassine et de se savonner vigoureusement. Pas assez cependant, à en juger par la couleur des torchons avec lesquels ils s'essuyaient les mains en poursuivant la conversation. Sous l'effet de cette teinture naturelle, les cheveux blancs de papa avaient foncé. Mais cette cure de jouvence semblait l'avoir au contraire fatigué. Il mit sur le compte des vapeurs de térébenthine que la tête lui tournât, et, portant la main au bas des reins, dans un geste qui commençait à nous devenir familier, cambra discrètement le dos en essayant de dissimuler la douleur sur son visage.

Après un dernier verre – liqueur, café, ou tisane pour les femmes –, il remercia un à un chaque bénévole, sans en rajouter ni jurer qu'ils lui avaient sauvé la vie, les accompagnant jusqu'au dernier sur le trottoir, prêtant même une lampe de poche à la vieille Maryvonne alors que les lampadaires de la place venaient à minuit de s'éteindre.

Le lundi, le magasin rouvrait. Il y eut affluence comme aux fêtes de fin d'année.

Il avait la passion des vieilles pierres. Ce qui veut dire que, bien qu'elle batte à deux pas, il nous a peu emmenés voir la mer. La mer, pour l'ancienneté, ne craint personne, elle était déjà là aux premiers matins du monde. Mais ce côté fuyant, cette eau qui dort au-dessus des gouffres, cette vague qui va et vient sans se décider vraiment, cette marée qui se retire et revient six heures plus tard reprendre comme un voleur le morceau de plage qu'elle vous a donné – la mer ne correspond en rien à notre père. Lui, on le rangeait spontanément dans la catégorie des solides. On devinait que les pierres avaient à ses yeux la qualité de l'homme estimable, qui protège, bâtit et ne plie pas. Il était devant un chaos rocheux, un menhir ou un mur savamment appareillé comme devant un arbre généalogique. Par cette parenté monolithique il se sentait de la famille. Au lieu que l'eau coule, oublieuse de sa source, manque à sa parole donnée, engloutit, efface les traces, inonde, oxyde, détériore, l'eau ne supporte rien – ou alors, tel hiver un peu rude, le pas alternatif et balancé d'un patineur sur un lac gelé. Peut-être dans ces conditions eût-il aimé la banquise, cette mer tangible, maîtrisée, qui emprisonne dans ses strates de neige accumulée au fil des siècles des piles d'annales fossiles – mais la dernière glaciation remonte à trop longtemps en Loire-Inférieure.

Il n'y avait pas de voyage sans une pierre au bout. Les châteaux bien sûr, mais ceux de la Loire, bien qu'aucun ne manquât à notre tableau, nous intéressaient moins : trop beaux, trop propres, trop cossus, trop bourgeois – décors de princesse au petit pois pour intrigues d'alcôve. Et puis, la douceur angevine s'entend à ménager le calcaire et le tuffeau. A climat tendre, pierre tendre. Papa avait ce type de rigueur qui s'accommode plutôt du granit. Alors, les longs week-ends de Pâques ou de la Pentecôte, on partait sous sa conduite visiter la Bretagne. Là, tout le sous-sol résonne de ce message sourd venu des profondeurs. Le granit est une roche dure comme les hommes parfois sont durs : d'en avoir trop supporté. C'est une roche cristalline, magmatique, formée dans les entrailles de la terre. Les pressions y sont si considérables que le volume d'une montagne vaporeuse est ramené à la dimension d'un diamant. Et ce qu'a porté le sous-sol armoricain, c'est rien de moins qu'une chaîne himalayenne.

Nous étions à l'ère primaire et tout restait à faire. Un puissant plissement fit surgir du fond des eaux de hautes îles. Le massif armoricain s'élevait alors à plus de cinq mille mètres, dinosaure avant les dinosaures, tropical avant les tropiques, car un climat chaud et humide régnait sur ces premières terres. Quand on vante les charmes du passé, on oublie toujours de rappeler cette phase polynésienne de la

Bretagne. Or, si vous êtes peintre à Pont-Aven, cela peut vous économiser un inutile voyage aux Tuamotou. La totalité de l'île se couvrait d'une forêt épaisse et nécessairement vierge puisqu'on n'y croisait ni druides, ni oiseaux, ni mammifères, ni même ces hautes bêtes emmanchées d'un long cou et qui n'étaient pas des girafes. Que s'est-il passé qu'on nous ait raboté nos hautes montagnes hercyniennes ? Du vent, comme il en souffle sur nos côtes, de la pluie, comme notre ciel en est prodigue, et du temps, des quantités impressionnantes de temps, avec juste ce qu'il faut de patience infinie. A plus petite échelle, on se rend mieux compte. Prenez quelques millions de pèlerins, passez-leur autour du cou une coquille, envoyez-les par n'importe quels chemins en Galice, à Saint-Jacques-de-Compostelle, et demandez-leur, au moment de franchir le porche de gloire de la cathédrale, d'imposer la main sur la colonne centrale. Revenez cinq siècles plus tard, la sueur des pèlerins a creusé une profonde empreinte de cinq doigts dans le granit. Un souffle, pourvu qu'il ne se décourage pas, suffit à araser des montagnes. Elles culminent à quatre cents mètres aujourd'hui. Encore un peu, quelques rafales, et le massif armoricain ressemblera, fertilité en moins, aux plaines de la Beauce.

La Bretagne était son terrain d'élection. Il la sillonnait en long et en large, six jours sur sept, pour le compte d'un grossiste de Quimper, installé en bordure de l'Odet, rue du Vert-Moulin. L'adresse se retenait sans peine : rue du Vermoulu, plaisantait-il quand les affaires ne marchaient pas. Son secteur couvrait les cinq départements bretons, moins la petite partie sud-Loire, l'estuaire formant, avant que les ponts ne l'enjambent, une frontière naturelle. Afin d'organiser au mieux ses itinéraires, il avait collé sur une planche de contreplaqué les cartes Michelin au 1/200 000 de la région et, en les juxtaposant, reconstitué une grande Bretagne qui couvrait tout un mur de bureau. Elle était piquée de centaines de pointes fines à la tête de différentes couleurs qui figuraient chacune un de ses clients. Au premier coup d'œil il savait à quoi s'en tenir. Il avait établi un code savant qu'il était seul à maîtriser où les couleurs renvoyaient aux chiffres d'affaires réalisés, à la périodicité de ses passages, aux nouvelles possibilités de démarchage et à d'autres critères qui nous échappaient. On savait, par exemple, que les têtes vertes le voyaient moins souvent que les têtes rouges, ou que les têtes bleues – parce qu'il en espérait davantage ou simplement qu'un ami valait le détour – bénéficiaient de son attention ; quant aux têtes noires, il leur était suggéré de faire un effort si elles ne voulaient pas disparaître de cette constellation bretonne. Et, comme il disposait d'une gamme d'une dizaine de couleurs, il notait aussi les hôtels agréables, les bons restaurants et même quelques curiosités, objectifs de prochaines promenades familiales.

Le dimanche soir, il s'enfermait dans le bureau, mettait à jour sa comptabilité, ses carnets de commandes, et rédigeait ses avis de passage, des cartons tamponnés à son nom qui annonçaient par courrier à ses clients sa visite prochaine. Puis, se postant devant sa carte murale enjolivée par ses soins, dans les parties marines, de photographies des plus beaux coins de la région, comme un stratège à la veille de l'affrontement, il composait ses trajets futurs, reliant les pointes colorées par des fils de coton qui traçaient, selon le principe euclidien du chemin le plus court, une route géométrique idéale, un parcours zigzaguant à vol d'oiseau, figurant, avec des allures de diagramme ou de feuille de température, son programme étalé sur un mois. Semaine après semaine, les fils dessinaient en lignes brisées les chemins d'Ariane qui sourdement terrassaient notre père Minotaure. De plusieurs couleurs, eux aussi, lestés à leurs extrémités de boutons de cuivre pour assurer une meilleure tension, ils évitaient d'empiéter l'un sur l'autre, se recoupaient parfois à la faveur d'une ville-étape, exploraient méthodiquement un territoire, s'efforçant de concilier les clients à démarcher et les hôtels où il aimait à descendre, assuré d'y retrouver, au hasard des tournées, deux ou trois compagnons de route avec qui entamer après repas une partie de cartes.

Il tâtonnait longtemps avant d'arrêter la solution la plus judicieuse, procédait par repentirs – au lieu de cette pointe au nord, pourquoi ne pas essayer cette autre plus à l'ouest ? – et de ces options dépendait chaque fois une variation nouvelle, un itinéraire inédit. Quand celui-là semblait conduire à une impasse, il détachait le fil circulant entre les têtes colorées et repartait de zéro, c'est-à-dire de Quimper, qu'il rejoignait tous les lundis matins après avoir quitté Random à six heures et avalé, en guise de petit déjeuner, la fumée de sa première Gitane.

Deux cents kilomètres à parcourir d'une traite n'étaient pas une mince affaire. Alors que maintenant elles s'ingénient à les éviter, les routes de l'époque au bitume graveleux, étroites et sinueuses, traversaient le moindre village. Les petites villes, confinées dans le périmètre d'anciens remparts, avec leurs marchés encombrés et leurs rues étriquées, constituaient autant d'obstacles qui ralentissaient la progression du voyageur. Car c'est ainsi que se définissaient eux-mêmes les représentants de commerce. Le mot n'évoquait aucun rêve d'évasion, aucune image de pays lointain, de plages blondes bordées de cocotiers : un voyageur était simplement quelqu'un qui gagnait sa vie sur les routes.

Dès qu'on quittait une nationale pour s'enfoncer dans le dédale de la campagne bretonne, il fallait compter avec les troupeaux de vaches qui barraient de leur démarche désabusée toute la largeur de la chaussée, opulentes, lascives, le pis ballottant entre les pattes arrière à presque toucher terre, ruminant entre leurs gencives le même ennui incommensurable, comme si de porter sur leurs flancs ballonnés cette étrange géographie de continents bruns et d'océans ivoire les avait convaincues que le monde, elles en avaient fait le tour. Le gardien ou la gardienne du troupeau suivait à bicyclette, un petit drapeau rouge de chef de gare glissé sous le bras pour régler, le cas échéant, la circulation, affectant dignement de ne rien entendre quand un coup de klaxon manifestait l'impatience d'un chauffeur, continuant d'un rythme toujours égal, à la limite du déséquilibre tant l'allure est lente, avalant les bosses de la même pédalée lourde, ne mettant pied à terre qu'au bas des côtes les plus rudes, et toujours au même endroit, remontant sur le vélo devant un autre repère, cet arbre, par exemple, qui marquait un adoucissement de la pente. L'habitude du chemin rituellement parcouru matin et soir, de cette transhumance bi-quotidienne. Rapprocher la pâture de la ferme par un échange avec un voisin ? On y songe quelquefois en repoussant aussitôt l'idée d'être demandeur – voilà qui est humiliant –, et puis ce serait bouleverser ce mouvement pendulaire dans le sillage des bêtes indolentes, c'est-à-dire bousculer la marche des planètes, la belle alternance des jours et des nuits, le cycle des saisons dont la vie, si misérable soit-elle, s'est jusque-là arrangée, s'arrangera encore demain. Un changement, même dans la perspective d'un confort supérieur, comporterait à coup sûr un vice caché et, cette horloge détraquée, quelque chose comme la mort.

Le chien, sûr de son importance, fait d'incessantes navettes entre l'avant et l'arrière du troupeau, remet dans le droit chemin les vaches récalcitrantes ou traînardes, donne de la voix pour se faire respecter. Il vient de temps en temps réclamer d'un regard un satisfecit auprès de son maître. C'est un corniaud gentil et laid qui ignore les caresses et, comme la plupart de ceux de sa race incertaine, a de bonnes chances de s'appeler Bas-blanc – simplement pour avoir l'extrémité des pattes blanches. L'imagination n'est pas le fort des campagnes, qui trouvent plus sage et rassurant que les choses se répètent à l'identique. Ce sont les Croisés qui, au retour de Palestine, inventèrent de baptiser l'animal fidèle du nom de ces « chiens d'infidèles » : on trouve ainsi encore quelques Médor. Mais personne n'irait choisir leur patronyme parmi les saints du calendrier. On entre là dans la zone du blasphème contre l'Esprit, le seul péché à n'être pas remis.

Les chats, eux, n'ont pas d'état civil. Ils sont, d'une manière générique, « les chats » – qu'on a d'autant moins intérêt à nourrir qu'ils ne se donneront plus la peine, le ventre plein, de courir après les souris, ce qui est tout de même leur fonction, et pour quoi on les tolère. Ils traînent une vieille tradition de porte-malheur qui les transforment en souffre-douleur et, à l'occasion, en gibier, les jours de chasse maigre. Il n'est pas rare de découvrir leurs corps faméliques criblés de plombs dans le creux d'un sillon. Certains ont un sort plus enviable, qui, souverainement indifférents, se prélassent sur la margelle d'un puits ou se livrent sur le rebord d'une fenêtre à une interminable toilette.

D'autres fois, c'est un attelage qui commande à l'automobiliste de lever le pied. L'homme est debout sur la charrette, la bride mollement serrée entre les mains, droit comme un aurige. Ses jambes écartées lui assurent une solide assise. C'est aussi l'affirmation de son pouvoir – celui, par exemple, de bloquer le passage. Il porte une salopette bleue délavée dont les pièces d'un indigo plus soutenu rajoutées au derrière et aux genoux rappellent la très lointaine couleur originelle. Fréquemment, d'un geste napoléonien, il glisse une main libre dans la bavette de son vêtement. Mais l'attribut essentiel de sa caste, l'objet-fétiche, c'est la casquette dont la visière rabattue sur les yeux le protège des rayons du couchant et lui donne un air de caïd. Sa casquette, il y tient plus qu'à ses cheveux, elle ne le quitte qu'à l'heure du coucher, si bien qu'on est tout surpris, quand il l'ôte un moment pour se gratter la tête, de découvrir une tonsure blanche et fraîche qui contraste avec le rouge cuivré de la nuque, tannée par le soleil et les intempéries.

Quand il sent que derrière lui la voiture s'impatiente, il imprime à ses rênes un mouvement ondulatoire rapide qui va claquer contre la croupe du cheval, lequel accélère le rythme durant trois pas et retourne bien vite à sa déambulation lasse. Souvent assise jambes ballantes à l'arrière de la charrette, se cramponnant des deux mains aux ridelles, l'épouse doit affronter seule, les yeux dans les yeux, la colère de l'automobiliste qui lui fait face derrière son parebrise. Elle s'absorbe alors dans la contemplation d'un paysage mille fois entrevu qui n'offre rien à voir, ramenant seulement sur sa cuisse un pan de son sarrau aux nuances d'automne quand une ornière la secoue et dévoile un genou aussi blanc que le crâne dégarni de son mari. Les bottes de caoutchouc lui montent à mi-mollet, terreuses, d'où émergent de grosses chaussettes de laine grise. Elle voudrait être à cent lieues, prie le ciel que la route bientôt s'élargisse, ouvrant le passage à l'irascible conducteur. Pour se donner une contenance, elle ramène sous son foulard, d'un geste exquis, une mèche de cheveux. Où l'on comprend qu'à la campagne on possède l'art des bonnes manières aussi bien qu'à la ville. La voilà soulagée quand l'attelage s'engage enfin dans un chemin de traverse.

Les clients n'étaient pas tous à la tête de grosses affaires. Dans la Bretagne pauvre de l'intérieur, aux villages isolés, la plupart des points de vente relevaient du fourre-tout, en comparaison de quoi notre magasin de Random passait pour un modèle de spécialisation. Etait-ce la position géographique ? Entrant dans ces capharnaüms aux senteurs multiples, on se retrouvait projeté en pleine « conquête de l'Ouest », quand les bazars fleurissant le long de la voie ferrée proposaient aux nouveaux colons du lard, de la poudre et des dentelles. A mesure qu'une nouvelle demande se faisait jour dans la commune, on voyait arriver sur les comptoirs, à côté des rubans tue-mouches et des berlingots de shampoing rose et vert, une compilation sur disque grand format des plus grands succès de l'opérette interprétés par le roi de l'accordéon et son grand orchestre de trois musiciens. Dans cette quasi-économie de montagne, il fallait répondre à tous les besoins : de la bouteille de gaz au papier à lettres en passant par les déjeuners en porcelaine « souvenir de ma première communion ». C'est là que papa intervenait.

Il lui arrivait de se détourner de plusieurs dizaines de kilomètres pour placer deux verres et trois assiettes dans une épicerie-bourrellerie-café d'un obscur village de l'Arcoat. La Bretagne avait le don de ces commerces composites où les couples réunissaient leurs talents comme on ajoute une corde à son arc dans l'espoir d'améliorer l'ordinaire. Certains étaient de vrais maîtres Jacques : maraîchers le matin, coiffeurs l'après-midi, agents d'assurances le soir. Le débit de boissons était l'appoint obligé. N'exigeant de son propriétaire aucune formation spécifique sinon de réussir à remplir les verres à ras bords (avec ce coup de main précis qui imprime un demi-tour à la bouteille afin d'éviter que la dernière goutte ne glisse le long du goulot), il garantissait un revenu minimum mais constant, la baisse de la consommation n'atteignant les plus fervents que sur leur lit de mort. En outre, associé à chaque point de vente, il permettait d'allonger d'autant la tournée des bars – seule recette éprouvée contre l'ennui et la solitude –, et donc de retarder au plus loin l'heure redoutée de rentrer chez soi. A Random, dont le bourg pourtant modeste compta jusqu'à dix-sept cafés, on pouvait déterminer le moment de la journée en fonction de l'état d'ébriété des plus assidus. Le dimanche, par exemple, quand monsieur Untel, qui passait avec une rigueur métronomique d'une buvette à l'autre, arrivait en titubant à sa dernière station, on savait qu'il était deux heures de l'après-midi, que nous venions d'en terminer avec nos éclairs au chocolat et que madame Untel, son épouse, attendait stoïque depuis la fin de la grand-messe, son sac à main sur les genoux, dans l'unique voiture encore garée sur la place.

Quant à monsieur René, c'était un cadran solaire à lui tout seul. Et le soleil n'avait pas besoin de se montrer pour que rougisse son nez : rutilant, bourgeonnant, une fraise des quatre saisons. C'était un vétéran de Quatorze qui finissait ses jours à l'hospice et progressait à petits pas glissés en s'aidant de deux cannes. Sa journée était occupée par deux grands tours de la place, avec arrêt systématique à chaque café. Dans l'intervalle, il retournait prendre son repas à la cantine. Considérant sa vitesse de déplacement à quatre temps (un pied, une canne, l'autre pied, l'autre canne) et la côte sévère reliant l'hospice au bourg, on pouvait dire de monsieur René qu'il était un homme très occupé.

Le rituel était immuable de ce manège fatal. On poussait la porte d'un café, on saluait la compagnie, et la compagnie ne vous autorisait à repartir que lorsque chacun de ses membres avait régalé tout le monde, ce qui, arithmétiquement, faisait autant de tournées que de buveurs, sans oublier le petit dernier pour la route. On imagine les risques encourus par un voyageur de commerce circulant dans une région constituée des cinq départements les plus alcooliques de France. Il dut toutefois se lasser de ces réunions au sommet où les affaires se traitent en choquant deux verres l'un contre l'autre, puisqu'on découvre sa signature au bas d'un document par lequel il prête serment de ne plus jamais toucher à une goutte d'alcool. Peut-être avait-il quelques jours auparavant dépassé les bornes, mais il s'y tint, commandant sa menthe à l'eau au milieu d'un cercle d'intempérants, sans défaillir. Et nul ne se serait avisé de jouer devant lui les diables tentateurs. Peine perdue.

Aussi maigre que fût la commande, elle avait tout de même exigé qu'il déballât devant son client la dizaine de valises qui encombraient le coffre et le siège arrière démonté de la 403. Chaque samedi, de retour à la maison, il vidait la voiture de son chargement et replaçait la banquette en vue d'une éventuelle promenade dominicale en famille. Le dimanche soir, il procédait à l'opération inverse. Comme la voiture n'était pas destinée à cet usage, il avait confectionné un plancher habilement découpé qui s'emboîtait comme une pièce de puzzle et facilitait le rangement des valises. Ce praticable restant en place, le siège arrière réinstallé se trouvait du coup surélevé, ce qui nous permettait de regarder par-dessus la tête de papa quand il conduisait. En revanche, il nous demandait de baisser la nôtre pendant une manœuvre délicate, car, du fait de notre position haute, on ne voyait que nous dans le rétroviseur intérieur.

Maintenant, empilez dans une valise cubique adaptée une cinquantaine d'assiettes aux motifs différents, soulevez, traversez la rue, poussez la porte du magasin, déposez, dénouez la sangle de cuir qui ceinture l'ensemble et prévient tout risque d'effondrement, déballez, exposez, faites l'article, subissez les mimiques du marchand qui de très loin prépare ainsi son refus et ne tient pas à ce qu'un émerveillement de sa part amène un malentendu. Remballez sans soupirer. Resoulevez, retournez à la case départ. Renouvelez l'opération. Sortez cette valise pleine de verrerie avec ses cases de velours rouge, cette autre de bibelots sommairement enveloppés dans des carrés de tissu et dont il arrive que certains soient ébréchés, et cette autre encore, et celle-là que vous aviez oubliée dont vous assurez, connaissant son goût, qu'elle va intéresser le client. Dites : je reviens. Revenez vite, le bras à demi arraché par la presque-malle que vous avez bien du mal à ne pas traîner. Ne montrez rien de votre lassitude. Expliquez : premier choix, second choix, promotion, prix de lancement, prix imposé, limite des stocks. Faites sonner, d'une pichenette de l'ongle sur son rebord, la splendeur en cristal taillé qui devra recevoir des fruits ou ce qu'on voudra. Demandez des nouvelles des uns et des autres. Compatissez. Ne vous appesantissez pas. Déviez. Prenez position sur le temps, dites : ça va s'arranger. Quand votre interlocuteur avance que la vie est dure en ce moment pour la profession, contrez : c'est général. Le cahier de commandes est prêt, posé en équilibre sur un amoncellement d'échantillons, la couverture et les pages déjà remplies retournées sur l'envers. Glissez deux feuilles de papier carbone sous l'original de façon à le reproduire en deux autres exemplaires : un pour le grossiste de Quimper, l'autre pour le détaillant, le troisième pour vous. Sortez le stylo à bille dont vous appréciez qu'il ne tache pas vos poches comme le stylo à encre, notez, en respectant bien les colonnes : numéro de référence de l'article, intitulé, prix unitaire, quantité (vous ferez le calcul, ce soir, à l'hôtel). Dites : je vous écoute. Deux modèles comme ceci, un autre comme celui-là, trois de cette sorte. C'est tout ? C'est tout pour aujourd'hui. Dissimulez votre amertume que pour si peu la matinée ait été perdue. Remerciez, remballez, saluez. Au prochain passage. Il est plus de midi, vous n'avez pas le temps de visiter un autre client. Si rien ne vous convient ou si l'appétit n'est pas au rendez-vous, vous vous moquez de sauter un repas, vous contentant de grignoter une tablette de chocolat. Vous appréciez tellement le chocolat que vous prétendez en avoir consommé l'équivalent d'un wagon. A ce train, notre collection avance vite, car vous gardez pour nous les images glissées dans les emballages en prenant bien soin de décoller le papier sans les déchirer – ce qui fait en fin de semaine un joli paquet.

Vous attendez l'ouverture du prochain magasin en fumant des cigarettes enfermé dans votre voiture qui sent le tabac froid jusqu'à l'écœurement. Pour les passagers, s'entend. L'hiver, vous aimez rouler le chauffage poussé au maximum. Cette chaleur, cette fumée qui vous entoure d'une légère gaze blanche, c'est votre cocon.

La 403 ployait sur son essieu arrière. Ainsi pesamment chargée, elle donnait l'impression de chercher sans cesse à décoller. Il aurait pu suffire aux lourdes valises d'écraser la voiture, mais elles avaient aussi entrepris de raboter les disques vertébraux de leur manipulateur, se montrant dans ce travail d'érosion, semaine après semaine, d'une redoutable efficacité. Sur la fin, la douleur qui le tenaillait ne le lâchait plus. Pour tenter de la calmer, il vidait ses tubes de Véganine à la même vitesse que ses paquets de Gitanes.

A l'émerveillement devait succéder la stupeur quand, à l'ouverture d'une sépulture ancienne, les fresques découvertes intactes dans tout l'éclat de leurs couleurs originelles, par une oxydation brutale s'évanouissaient soudain devant leurs inventeurs. Il fallait bien que la vieille civilisation rurale fût déjà morte et enterrée pour que la Bretagne disparût sous ses yeux à mesure qu'il la sillonnait – comme s'il avait eu, en l'inventoriant, le pouvoir d'effacement d'un courant d'air.

Telle qu'on feint encore de l'admirer et que le souvenir la perpétue, la Bretagne n'est plus. Elle a rejoint dans son passé légendaire Ys l'engloutie et le secret des mégalithes. Persistance rétinienne : les yeux de la mémoire mettent longtemps avant de se dessiller : si vite que voyage la lumière, l'image qu'elle nous renvoie est déjà dépassée. Car elle passe, la figure de ce monde, et avec elle le dédale des chemins creux encombrés de fougères, bordés de chênes ravinés comme des corps centenaires, les hauts talus qui coupaient du vent de la mer et recueillaient le ruissellement des eaux de pluie, faisant provision de fraîcheur pour l'été tout en retenant les rivières de s'étendre, les alignées d'aulnes et de saules soulignant de leur présence inclinée le cours serpentin des ruisseaux, les halliers bruissant d'oiseaux comme des agoras de commères, les landes d'ajoncs à l'odeur douceâtre de noix de coco, les champs de marguerites et de boutons d'or s'étalant comme des œufs au plat éclatés dans le printemps triomphant, les sous-bois éclairés d'en bas par le reflet pâle d'une colonie de primevères, les haies plantées de mûriers, d'aubépines et de pruniers sauvages, les fossés semés de pensées roses et de violettes, les blés s'ouvrant aux coquelicots et aux bleuets et mêlant à la promesse du pain un « dites-le avec des fleurs » – fouillis végétal qui composait de délicats reliquaires de verdure pour les fontaines sacrées, bénitiers de plein air conservant dans un pieux filet d'eau le souvenir miraculeux d'un saint ermite dont la probable inexistence ne nuisait en rien aux vertus curatives attestées. Car le ciel pingre en soleil était prodigue de ces grâces. En témoignaient les petites chapelles de granit essaimées dans le paysage comme autant de vœux lancés au grand vent. Il avait suffi, pour leur édification, de la prière exaucée d'un nobliau ou qu'un laboureur heurte du soc de sa charrue une statue enfouie de la Vierge qu'une main mystérieuse dissimulait à loisir dans le sous-sol comme des œufs en sucre le matin de Pâques. Le prodige étant avéré, à chaque chapelle son pardon, spécialité d'un peuple fervent qui aimait à pèleriner dans ses beaux habits du dimanche derrière une forêt d'étendards luxueusement brodés en entonnant des cantiques à la gloire du saint patronymique et de sainte Anne, laquelle, par quelques apparitions judicieuses (il ne sert à rien d'apparaître devant l'idiot du village, qui le croira ?), avait fait savoir aux Bretons qu'elle plaçait le pays sous sa très haute protection – clin d'œil à la Fille aînée de l'Eglise (la France) qui avait choisi sa fille (la Vierge), sans même l'accord de cette dernière. C'était aussi l'occasion, tout en glanant des indulgences, de retrouver les cousins lointains égarés à deux lieues de là et de guetter les jeunes filles à marier dont on identifiait la paroisse d'origine à de subtiles variantes dans les coiffes de dentelles. Les processions se coulaient dans le paysage labyrinthique d'où émergeaient, par-dessus les talus, les croix d'or et le chant des fidèles, un pays à ce point accordé au cheminement tortueux des âmes que les pardons disparurent avec lui dans le grand cataclysme qui, au début des années soixante, accéléra délibérément le lent processus d'érosion – comme si après le sac du confessionnal les pécheurs avaient renoncé du même coup à la confession.

Car il y a un avant et un après en Bretagne : l'avant des parcelles minuscules, casse-tête des experts du cadastre, qu'une descendance nombreuse n'en finissait pas de morceler jusqu'à ne laisser aux héritiers que la place d'y poser les pieds et le droit d'émigrer, et l'après du remembrement, quand, au plus haut niveau, devant les piètres résultats de l'agriculture bretonne, on s'avisa de faire basculer toute une région dans la modernité. La modernité se reconnaît en ce qu'elle refuse d'accommoder les restes : comment faire manœuvrer dans ces champs peau de chagrin les volumineuses machines qui abattent en une heure le travail hebdomadaire de dix hommes ? Comment engraisser la terre sans que cet apport azoté profite au liseron et aux pâquerettes ? Comment empêcher les étourneaux de picorer le grain semé, avalant par là même la récolte escomptée ? Comment conseiller au paysan d'abandonner un sol ingrat en lui vantant les mérites du monde ouvrier et les délices de la cité ? Comment regrouper ce qui est dispersé : les champs, les maisons, les animaux ? Comment disperser ce qui est regroupé : les générations, les mémoires ? Le grand ensemblier, dans le secret de son cabinet, passa sur la Bretagne un bras ravageur comme un soudard débarrasse une table encombrée. Sur ce terrain déblayé il redessina de vastes rectangles bien dégagés, traça des pistes stabilisées larges et droites, et, jugeant que cela était bel et bon, apposa sa signature au bas de son grand œuvre. La lettre de cachet expédiée dans la lointaine province, l'arasement pouvait commencer.

On expliqua à ce paysan qui faisait la navette derrière ses bêtes que désormais il serait en mesure de les surveiller depuis sa fenêtre. Par quel prodige ? Avec ses quelques hectares disséminés on allait constituer une pièce d'un seul tenant à proximité de la ferme. Le négociateur qui guettait sur le visage de son vis-à-vis un sourire empreint de gratitude conclut bien vite que ces gens-là ne sont jamais contents. Mais cette terre reconstituée serait-elle d'un aussi bon rapport que ce morceau près de la rivière ? Un peu moins, c'est pourquoi on lui offrait en compensation quelques ares supplémentaires. Soit davantage de surface à traiter, davantage de travail pour un produit de moins bonne qualité. Où était l'équivalence ? Et qui hériterait dans ce troc de cette bonne pâture au bord de l'eau ? Celui-là qui la convoitait et s'entend si bien avec les autorités compétentes ? A ce stade de la négociation, l'envoyé de la République comprenait qu'on ne lui laissait d'autre alternative que de s'en retourner.

Les discussions nourrissaient les rancœurs, ravivaient de vieilles querelles. Partisans et adversaires du remembrement s'opposaient vigoureusement. Les cafés se faisaient l'écho de ces débats houleux. Le moindre débit de boisson se transformait en Procope révolutionnaire. Le tout prenait l'allure d'une nouvelle affaire Dreyfus, divisant familles et communes. Des rumeurs circulaient : sur l'un qui avait vu le prix de son terrain multiplié par dix depuis qu'il avait obtenu qu'une route le traversât, sur l'autre qui, floué, avait choisi d'en finir. On ne savait au juste avec quoi, mais c'était lourd de menace. On menaçait, pour arrêter l'envahisseur, de s'enchaîner à sa clôture. On ne comptait plus ceux à qui l'on devrait passer sur le corps. Sans attendre l'issue des discussions, les bulldozers s'étaient mis au travail.

Toute la journée on entendait le ronronnement puissant des moteurs à travers la campagne, s'emballant quelquefois sur un obstacle imprévu, une souche rebelle, haussant le ton, agacé que quelque chose s'opposât à leur marche en avant. A l'heure de la pause, il fallait un moment au silence avant de reprendre possession de l'espace, comme si, après avoir volé en éclats, il se redéposait avec prudence. L'oreille était si accoutumée à ce vacarme qu'elle trouvait d'abord étrange cette absence de bruit, se rééduquant peu à peu en goûtant au chant d'un oiseau, au vent, au murmure des feuillages, au passage mouillé d'un vélomoteur sous la pluie.

Les gigantesques pelles mécaniques ouvraient des routes inédites selon leur bon vouloir. On les pistait sans peine grâce aux traces parallèles, à l'aspect zippé, de leurs chenilles. Elles rasaient les haies sans même paraître s'en apercevoir, broyaient les broussailles avec mépris, bousculaient les talus comme on piétine une fourmilière, comblaient les fossés, les abreuvoirs, laminaient les bosses sur lesquelles aimaient à se planter les vaches curieuses pour mieux jouir du paysage.

Même les grands chênes hautains subissaient la loi du plus fort. La lame à l'avant du bulldozer se collait contre l'écorce, le régime du moteur montait en puissance et l'énorme masse se mettait à pousser. En vain. Le tronc demeurait immobile, sûr de sa légende, affichant une assurance têtue. La rage de la mécanique se communiquait alors à l'ensemble de la terre. Les trépidations des manettes, tiges métalliques verticales coiffées d'un bouton de bakélite noire, faisaient trembler tout le corps de l'homme crispé sur les commandes. Les chenilles patinaient. Face à cette débauche d'énergie, la ramure oscillait. On voulait croire qu'il s'agissait d'une illusion d'optique des nuages défilant derrière les frondaisons comme certaines nuits la lune paraît glisser à travers les nuées. Mais sur cette présomption la machine redoublait de violence, bélier furieux acharné à la perte de sa victime, et bientôt il fallait se rendre à l'évidence : les nuages défilaient et l'arbre s'inclinait. Il ne s'abattait pas brutalement comme celui qui cède sous les coups de la cognée. A chaque degré de son inclinaison il s'accrochait de toutes ses racines, refusant de capituler, emportant quand elles se déchaussaient un morceau de la terre-mère comme une preuve d'arrachement. Sous une dernière poussée triomphale, l'arbre enfin se couchait dans un froissement de feuillage couvert par le bruit du moteur, gisant, branches et racines de part et d'autre du fût, comme un os symétrique.

Au milieu d'un verger, la lutte était inégale. En dépit de leur supériorité numérique, les vieux pommiers rangés en ordre de bataille se repentaient bien vite de taquiner le vaillant guerrier à l'armure jaune. La machine pivotait sur elle-même, cherchant à briser le cercle de ses assaillants – à droite, sire, à gauche –, les troncs torturés valsaient comme des fétus de paille. Plus de pommiers, plus de pommes, plus de cidre, plus de bouilleurs de cru. Il se racontait que les conducteurs d'engins touchaient une prime pour chaque arbre renversé. On les imaginait dessinant sur les flancs de leurs monstres de petites forêts miniatures comme autant de sigles d'avions ennemis abattus sur la carlingue d'un pilote de chasse.

Rien ne semblait devoir les arrêter, hordes méthodiques pratiquant au nom de la raison une nouvelle politique de la terre brûlée. Procédant par larges aplats, ils ôtaient un à un ses voiles à la Bretagne mystérieuse, livrant au regard, étonné de porter si loin sans que désormais aucun rideau d'arbres s'y opposât, la terre d'Arcoat aussi nue que le visage des femmes de Perse quand les soldats de Pahlavi les dévoilaient de force. Les résidus de ces grands travaux de terrassement étaient entassés en bout de plaine, comme une ménagère dépose en attente sur le seuil de sa porte un petit tas de poussière, gigantesques amas tumulaires composés de terre et de broussailles qui accueillirent, les années passant, les exclus du paysage : herbes adventices, ronciers, ajoncs, offrant aux oiseaux délogés de partout de reconstituer dans ces campements sauvages leurs colonies exténuées. Progressif nettoiement d'un foyer rebelle. L'œuvre de mainmise commencée dans le lit d'Anne, la petite duchesse boiteuse, où se couchèrent deux rois de France, était achevée.

D'ordinaire, il n'y a que la guerre pour redéfinir aussi violemment un paysage. L'histoire en signale bien une en ces années-là, mais de l'autre côté de la Méditerranée, dont l'écho ne nous parvenait qu'amoindri. L'onde de choc, à vingt ans de là, du dernier ébranlement mondial ? Ou alors, par un automatisme de ce siècle qui nous accoutumait à détruire, une sorte de conflit anonyme, diffus, clandestin, modèle pour temps de paix, et comptant même ses victimes, car somme toute il nous semblerait mieux comprendre si on attribuait à une guerre, fût-elle blanche, notre disparu de quarante et un ans.

C'est pendant ces jours de désastre que le voyageur surveillait son compteur. Il y avait plusieurs kilomètres déjà qu'il se préparait à franchir la barre des cent mille, équateur symbolique pour la voiture et son pilote qui venaient de parcourir, en tout juste deux ans, sans accrochage ni panne majeure, l'équivalent de deux fois et demie le tour de la Terre. Des circonvolutions particulières puisque enroulées comme un écheveau dans un tout petit territoire, comme si Magellan se fût adonné à la pêche côtière et qu'avec autant de jours de mer, au lieu d'un détroit célèbre, il n'eût offert au monde qu'un pauvre portulan mille fois revisité. Pour mieux apprécier l'exploit de la 403, il fallait l'estimer à l'aune de celles qui l'avaient précédée. La Juvaquatre gris-bleu avec ses moyens d'immédiat après-guerre avait été vaillante – une sorte de caisse à roulettes achetée sans pneus en ces temps de pénurie, monnayés par la suite contre des tickets d'alimentation et des lunettes de tankiste de l'armée américaine –, mais, avec sa tenue de route style savonnette, elle eût été bien en peine d'affronter comme sa suivante, une 203 fourgonnette noire et chrome, le relief tourmenté du Massif central, les routes du Limousin où l'herbe crevait le bitume et les grands cols pyrénéens, quand, sur un circuit vaste comme la moitié de la France, à quoi s'ajoutait la Belgique wallonne, papa entreprit de démarcher les écoles primaires pour placer des tableaux pédagogiques : des séries thématiques illustrées de dix planches : l'Anatomie (au corps écorché étrangement dépourvu de sexe), les Sciences naturelles, les Grandes Découvertes (d'un homme velu grattant un silex au-dessus d'un petit tas de feuilles mortes à Pasteur contemplant la rage au fond d'une éprouvette), la Géographie (deux séries : la France et le Monde), l'Histoire (tout Michelet en vingt planches : Vercingétorix et sa moustache en forme de bicorne napoléonien, Clovis et son baptême, saint Louis lavant des pieds entre deux croisades, Jeanne d'Arc et sa frange, Jeanne Hachette en pâle doublure de la précédente, Louis XI et son petit chapeau profilé comme une aile volante, Sully et ses deux mamelles, Louis XIV et ses poses d'escrimeur mondain, Fontenoy et ses morts courtois, la Bastille et sa prise, Bonaparte et son pont d'Arcole, le duc d'Aumale et sa smala, Gambetta et son ballon), sans oublier la série biblique, créée spécialement à l'intention des écoles chrétiennes dans le but de conquérir un nouveau marché mais qui, en dépit d'une Eve très pudique façon lady Godiva voilée par ses cheveux, n'eut aucun succès du fait que la maison d'édition était soupçonnée par les bien-pensants de sympathie communiste (certains avaient même trouvé dans le portrait du Moïse barbu et chevelu brandissant les Tables de la Loi une ressemblance avec Marx, si bien qu'en fait de dix commandements il fallait y voir les dogmes du matérialisme dialectique et au lieu d'Israël la terre promise soviétique). C'est ainsi que l'éditeur des tableaux pédagogiques fit faillite et que nous avons conservé des dizaines de reproductions de notre Moïse rouge dans l'entrepôt du jardin. Papa en avait même tapissé son atelier. Charpentier à ses heures, notre Joseph bricolait entouré de ses refuzniks.

Qu'avait-il besoin de voyager si loin pour un si maigre profit ? Il s'absentait de longues semaines, expédiant de chaque ville-étape une carte postale dont la collection compose un itinéraire erratique en même temps qu'une sorte de journal de bord pointilliste : San Sebastian et sa longue plage de sable : « Les chaussures ne sont pas moins chères en Espagne, et il pleut », Amiens et ses hortillonnages (une barque à fond plat sur un canal bordé de roseaux) : « Pour mon gros père qui aime tant les bateaux » (quel est ce père qui appelle son fils son père ?), Reims et l'ange au sourire, à sa petite dernière pleine de vie : « L'ange est content, son petit doigt m'a dit que tu étais bien mignonne », le plateau de Millevaches, à sa grande fille de sept ans : « Maintenant que tu sais compter jusqu'à mille, combien de vaches sur ce plateau ? » (on avait beau retourner la carte dans tous les sens, pas une seule, ni dans les arbres ni dans les nuages), deux cartes de Bruxelles, l'une de la Grand-Place, l'autre du Manneken-Pis, ce petit bonhomme insolent haut de cinquante centimètres, nu comme un ver, qui urine de son piédestal dans un bassin : « Ne faites pas comme lui », Rodez, vue panoramique de la ville aux couleurs Ektachrome, où il est question d'argent, de celui qu'il se promet de gagner (il ne rentrera pas avant d'avoir réalisé le chiffre d'affaires qu'il s'est fixé), de celui qu'il envoie par mandat dont une partie devra servir à rembourser monsieur X et l'autre à régler deux factures en attente dans le tiroir du bureau, où, d'une écriture fine et personnelle, il avoue son ennui loin des siens, où l'on sent sa lassitude, où il embrasse très fort sa femme et ses trois enfants, où l'on comprend qu'il se tue au travail, qu'il vaut mieux que ce que la vie lui réserve, et que pour cette vie il n'a sans doute pas la bonne méthode, comme s'il s'employait surtout à employer son temps.

Il avait aménagé l'arrière de la 203 de telle sorte que les tableaux se rangeaient verticalement et coulissaient sans effort sur de petits rails ingénieux fixés au plancher et au plafond, et, au vrai, c'est ce qui le passionnait, cette possibilité dans n'importe quelle situation d'éprouver sa capacité d'invention.

Peut-être même avait-il accepté cette place pour avoir à résoudre la question du rangement des tableaux. Et, une fois résolue, il ne lui restait plus qu'à aller voir ailleurs, du côté de Quimper, où se posait un autre problème : comment caser des valises de volumes différents, non plus dans une fourgonnette (la 203, ayant fait son temps, fut revendue à un maçon, lequel fit une bonne affaire, si l'on songe que vingt ans plus tard elle circulait toujours dans le bourg de Random), mais dans une voiture de tourisme quatre portes, élégante, nouvellement sortie et qui, contrairement à la précédente, ne sentait pas le travail.

A mi-chemin des Trente Glorieuses, maintenant que les affaires marchaient bien, après avoir assuré le nécessaire, on se permettait de sacrifier à l'esthétique. De fait, on sacrifiait. Avec ses lignes fluides un peu molles, cette façon d'arrondir systématiquement les angles, son tableau de bord en plastique moulé ivoire et ses voyants lumineux rouges et verts, la Dyna ressemblait à un transistor de plage. Tout poussait, sauf le mauvais temps, à étendre à côté une serviette de bain – ce qui eût d'ailleurs été pratique pour jeter un œil sous le châssis quand, au bout de quelques semaines, à peine sortie de la période de rodage, elle commença à perdre huile et boulons. Au naturel déjà la Dyna n'était pas silencieuse, ses concepteurs ayant peut-être pensé qu'un moteur s'entendant de loin ajoutait une touche sportive, comme ces jeunes gens qui débranchent le pot d'échappement de leurs vélomoteurs et mettent la tête dans le guidon en passant à la poignée des vitesses fictives. Mais, à mesure qu'elle jouait les petits Poucets, il devenait impossible d'y tenir une conversation tant le moteur, animé de bruits hétéroclites, imposait sa voix puissante. Plutôt que de hurler, on se concentrait sur le paysage. En voyage, sans un mot, le conducteur signalait les curiosités d'un geste de la main. On tournait la tête à droite : un menhir, un calvaire, à gauche : un château ruiné, un cheval, le doigt pointait vers le haut : un avion. Les explications venaient par la suite, à l'heure de la pause. Ainsi ce n'était pas un avion mais un planeur. Un planeur ? C'est-à-dire un avion sans moteur porté par les courants ascendants d'air chaud. Sans moteur ? On glissait avec lui dans un silence vertigineux.

Le matériel entassé à l'arrière avait eu raison très tôt des suspensions. On aurait pu établir un guide de l'état des routes bretonnes où les bornes auraient remplacé les étoiles et les fourchettes. Ceux-là qui protestaient au nom de la tradition contre le bitumage des rues pavées encore nombreuses dans la région n'avaient qu'à embarquer à bord de la Dyna. On claquait des dents pendant toute la traversée des villes anciennes.

Pour être honnête, les lourdes valises n'étaient pas seules responsables de l'état des amortisseurs. Sa marotte n'avait rien arrangé. C'est pendant cette période qu'il entreprit de collecter les pierres remarquables. En semaine, il les repérait sur le bas-côté de la route, s'arrêtait, emportait les plus petites, roulait les plus volumineuses dans le fossé ou les dissimulait derrière un arbre, les signalant au retour sur sa carte murale par des clous dorés – les seuls à pointer en rase campagne. Certains dimanches, on partait en famille les récupérer.

Notre facteur Cheval avait en projet un jardin idéal qu'il n'eut pas le temps de réaliser, se contentant d'entasser son butin au fond du jardin dans la perspective de son grand chantier. Il avait ébauché quelques crayonnés avec rocailles et cascade qui évoluaient à mesure de ses découvertes. Certains croquis étaient plus aboutis. Son chaos rocheux, d'où devait jaillir une source, aurait culminé à deux mètres. Il dissimulait dans sa masse une installation rudimentaire et sophistiquée, bien dans le style des tuyaux de chauffage de la chambre, qui, en prolongeant les gouttières de la petite maison du jardin où vivait notre tante Marie (au vrai, sa tante à lui), aurait alimenté son système en eau de pluie. Théoriquement, en vertu du principe des vases communiquants, le jet d'eau se serait élevé aussi haut que le bord inférieur du toit, mais, comme il craignait que la réalité ne se montrât un peu rebelle, et bien que la pluie ne soit pas une denrée rare en Loire-Inférieure, il avait prévu un circuit parallèle fonctionnant sur l'ancien puits et son groupe désaffectés depuis notre raccordement au réseau. Celui-là n'aurait fonctionné qu'épisodiquement pendant la visite des curieux ou pour accueillir les amis.

Deux poissons rouges attendaient dans un bocal le bassin au pied du chaos rocheux qui leur était promis. Ils étaient à l'origine du projet. Par compassion, en raison de l'exiguïté de leur habitacle. Mais l'idée était dans l'air. Maintenant que l'époque sacrifiait au superflu, les jardins potagers et leur « peur de manquer » reculaient devant l'envahissement de pelouses agrémentées d'angelots, de roues de charrette fleuries ou des sept compagnons de poche de Blanche-Neige saisis dans leur activité principale qui consistait à pousser une brouette d'enfant garnie de plantes grasses. Des jardiniers habiles donnaient à leurs buis des formes géométriques, les plus artistes sculptaient dans la masse végétale des éléphants et des hippopotames. L'ensemble avait un côté crèche laïque quoiqu'il manquât un messie pour fédérer le tout.

L'heure était bien au remembrement. On ne savait qui avait commencé, des tondeurs de pelouses ou des autorités, mais l'impulsion était donnée. Effacer le soupçon d'obscurantisme et d'arriération qui pèse sur la campagne. Au fouillis substituer l'ordonnancement, à l'ombre la clarté, à la boue la blanche neige. La civilisation rurale faisait passer le message : nous ne sommes plus des paysans. Bien reçu, dit le sauveur du ministère qui à l'unisson laminait le territoire : vous êtes des exploitants agricoles.

Nous pouvions y trouver notre avantage. Les puissants bulldozers déterraient les pierres à foison. C'est ainsi qu'un dimanche nous fîmes notre meilleure récolte parmi les résidus balayés de la « finis terrae ». En début d'après-midi nous avions parcouru les alignements de Carnac. Ce n'était pas la première fois que notre Le Nôtre cherchait son inspiration auprès des jardiniers-paysagistes du Néolithique. Quand sa route longeait le site, s'il disposait d'un peu de temps, il lui arrivait de s'y arrêter, faisait quelques pas entre les menhirs, puis, s'asseyant sur une pierre abattue, sortait son paquet de Gitanes et fumait pensivement une cigarette après en avoir machinalement tapoté l'extrémité sur l'ongle de son pouce pour tasser le tabac. Il prétendait se sentir en harmonie avec les hautes stèles gangrenées par le temps et les éléments, relevant le col de sa veste quand le vent fraîchissait, passant une main dans ses cheveux quand une pluie imperceptible le poussait à regagner sa voiture. Il restait ainsi un moment à regarder planer les oiseaux de mer, voleter les moineaux au-dessus de la brande, et, entre deux rejets de fumée, le cou tendu vers le ciel, tentait de résoudre l'indéchiffrable énigme de cette statuaire sans visage. Comme il s'était documenté, il savait qu'on ne savait pas grand-chose sur la question, ce qui lui permettait d'être à égalité de connaissance avec les plus éminents spécialistes de l'architecture mégalithique. Pour un autodidacte, toujours contrecarré dans ses réflexions par l'autorité des docteurs, c'est une aubaine. Il pouvait ainsi en toute impunité laisser son esprit dériver. Parmi les théories des plus sérieuses aux plus fantaisistes sur la signification des alignements, s'il n'accordait aucun crédit aux pistes d'atterrissage pour aéronefs martiens, il se montrait séduit par l'hypothèse d'un calendrier cosmique capable d'établir la date des moissons et de commémorer l'anniversaire du prince, sorte d'almanach géant auquel il ne manquait que le nom des saints gravé sur les pierres et quelques conseils de jardinage sur l'art et la manière de tailler et arranger de tels bouquets de granit. Quoiqu'un peu encombrant et de maniement incommode, cette éphéméride pour les oiseaux – puisque ne se pouvant consulter que du ciel – avait au moins l'avantage d'ouvrir de vastes horizons à la rêverie et satisfaisait un talent très réel pour les mathématiques si l'on en juge par la facilité avec laquelle il résolvait les problèmes ardus que nous rapportions du collège. Cette interprétation de Carnac offrait du monde une allégorie chiffrée. Tout était dit, annoncé, codé : il suffisait de mesurer. Comme il portait toujours sur lui un mètre à ruban destiné à vérifier le diamètre des verres et des pots de fleurs, il avait relevé la distance entre plusieurs menhirs supposés reproduire, cinq mille ans avant le maître, le théorème de Pythagore dans son rapport idéal : trois, quatre, cinq. Mais les résultats s'étaient révélés trop aléatoires pour qu'on pût annoncer avec précision le jour et l'heure de la prochaine éclipse. Il avait même tenté d'assister au lever du soleil sur la lande de Kermario au solstice de juin. Selon le témoignage de lève-tôt épisodiques, pseudo-druides ou néo-adeptes de Râ, le premier rayon suivait scrupuleusement une allée avant de se planter au centre d'un cromlech, lequel, figurant comme le trou du Saint-Sépulcre le milieu du monde, était rebaptisé Point tellurique-axial de l'univers. Mais comme le même rayon était attendu à plusieurs endroits en même temps, qu'il devait aussi traverser la Table des Marchands, perforer le tumulus de Gavrinis et pointer au sommet de tel grand menhir, il était clair qu'il n'y en aurait pas pour tout le monde. La veille au soir, le ciel était couvert et quand, au milieu de la nuit, il entendit de sa petite chambre d'hôtel près d'Auray la pluie tomber, il éteignit prudemment son réveil et choisit de se rendormir.

Les visiteurs étaient accueillis sur le site par des grappes d'enfants qui s'agglutinaient autour d'eux et, sans préambule, entreprenaient de débiter une sorte de complainte psalmodiée à laquelle on ne comprenait pas un mot. Le ton était monocorde, rapide, empruntant à la récitation des articles du catéchisme ou des fables, chutant à chaque fin de phrase, ce qui obligeait les petits officiants à reprendre bruyamment leur souffle en aspirant la phrase suivante. De quoi s'agissait-il ? On l'apprend bien plus tard : de la légende de saint Cornély, qui, poursuivi par les légions romaines, n'avait dû son salut qu'à l'intervention du Seigneur, dont le souffle sacré avait changé en statues de pierre cette armée d'assaillants que le gouvernement de l'époque ne songea pas à rapatrier, ainsi qu'on le fait des corps des soldats, ce dont on se félicite, car, outre un déménagement délicat, c'en eût été fini de Carnac. Mais sur le moment on avait beau tendre l'oreille, saisir au vol deux syllabes identifiables et les marier pour reconstituer un mot, il était bien difficile de rendre à César ses légions et à Dieu son haleine pétrifiante. Du coup, le mystère des pierres levées s'épaississait, se doublait de cette autre interrogation : en quelle langue s'expriment-ils ? en patois alréen ? en gallo-vannetais ? en proto-gaélique ? en bas latin ? en latin de cuisine ? en bas breton ? en breton d'opérette ? C'était de l'hébreu. A moins que par un phénomène de possession en ce lieu hanté, par un de ces tours dont l'esprit a le secret qui réussit même à faire parler les tables, ne sortît de la bouche des petites bardes médiumniques la langue originelle des anciens bâtisseurs comme un écho à retardement renvoyé par la muraille de pierres. Quoi qu'il en soit, ces gens-là ne manquaient pas d'à-propos qui, sitôt leur laïus terminé, tendaient la main dans la pure tradition de « n'oubliez pas le guide ». Les pères ouvraient alors leur porte-monnaie et cherchaient sans enthousiasme la pièce qui récompenserait surtout la partie chantée, la partition musicale. Car pour ce qui nous intéressait, les paroles, nous étions loin d'avoir eu notre content. Quelqu'un fit alors remarquer qu'à l'opéra c'était la même chose, qu'on ne comprenait jamais ce qui se disait, et que c'était tant mieux si l'on considérait la faiblesse générale des dialogues. Toute l'émotion passait par la musique. Appliquée à nos petits chantres dont la tonalité monocorde ne laissait rien filtrer de la profondeur des sentiments, la remarque induisait à penser que les solides architectes des âges farouches avaient un cœur de pierre.

On n'en saurait pas davantage. Chacun cherchait ensuite à se faire sa propre idée en flânant dans les allées, les enfants apportant un début de solution qui grimpaient sur tout ce qu'ils pouvaient escalader. Notre ensemblier maison insistait sur la dimension des pierres, la difficulté à déplacer, sur des kilomètres parfois, des masses aussi considérables. D'autant qu'il en était des menhirs comme des icebergs : il fallait aussi considérer la partie enterrée qui assurait l'équilibre du bloc. S'il insistait tant sur ce qu'on ne voyait pas, c'est bien sûr parce que les choses invisibles ouvrent sur l'infini, mais c'est aussi que nous avions du mal à nous extasier. Prévenus par notre grand homme, nous nous attendions à un champ de tours Eiffel, à des gratte-ciel de pierres taillées, au lieu qu'elles n'étaient qu'une poignée à atteindre quatre mètres. Et encore valait-il mieux être soi-même petit.

Il n'y a pas d'improvisation à Carnac. Ce n'est pas comme dans ces villes enrichies, Venise ou Amsterdam, où marchands et banquiers, au fil du temps, au gré de leur fantaisie, s'engageaient dans une surenchère permanente à construire plus beau, plus grand, plus clinquant. Il s'agit ici d'un projet conçu et mené à son terme. Et en peu de temps : étalé sur des dizaines d'années, le plan initial, comme celui d'une cathédrale, en eût été cent fois modifié. La recette est simple : des bras vaillants, un contremaître efficace, un architecte inspiré et un prince tyrannique. Cela suffit. Les pierres dressées à deux pas du littoral comme un rempart au déferlement des vagues et au vent furieux de la mer, régulièrement espacées, orientées d'est en ouest, sont alignées sur onze ou treize rangs en ordre décroissant. Seraient-elles creuses, on imaginerait de les emboîter comme des poupées russes.

Avec le temps, beaucoup d'entre elles ont disparu : débitées, réutilisées, trouvant refuge dans le flanc des maisons de pêcheurs ou clôturant une pâture – les plus petites en premier lieu, les plus pratiques à transporter, celles en bout de rang. Si l'ordre était respecté, l'ultime borne de ces alignements devait avoir la taille d'un grain de sable, dissolution progressive dans la terre-mère ou, partant de l'est, petite graine de pierre, pépinière minérale, pour aboutir à la forêt des géants au couchant. C'est en lieu et place de ce grain de sable théorique que nous découvrîmes dans l'herbe rase, près d'une touffe d'œillets sauvages comme il en pousse au bord de l'Atlantique, un cadavre d'oiseau : son petit corps décharné, le cou dénudé comme si la mort lui avait ôté son cache-col, une taie bleutée sur l'œil, le bec entrouvert, ses pattes vermicelles repliées comme l'armature d'une ombrelle délicate. Quelques plumes encore collées sur la fine charpente de l'aile se soulevaient doucement sous un souffle de vent.

Papa s'accroupit auprès de la minuscule dépouille afin de mieux l'observer sans doute, mais dans une attitude si recueillie, si pleine de commisération, que nous l'imitâmes en fermant le cercle, maman restant seule debout. Nous étions à l'orée d'un miracle d'une simplicité enfantine, persuadés que son souffle allait gonfler de vie la poitrine miniature, et les chairs se reformer, les ailes à nouveau battre, tirant vers le ciel l'oiseau recomposé. Comme à l'ouverture de la tombe des bienheureux montait de ces quelques grammes de chair en décomposition la douce odeur sucrée des œillets. Ce message parfumé apportait l'espérance et la consolation.

Quand il releva la tête, son regard se porta sur l'enfilade des pierres qui grimpaient en pente douce vers le soleil déclinant. Les coudes en appui sur les genoux comme un joueur de football de premier rang quand toute l'équipe prend la pose, il semblait suivre en esprit l'envol de l'oiseau au-dessus des alignements. La lumière dorée le força bientôt à baisser les yeux. Il hocha pensivement la tête et, comme s'il avait craint de nous abandonner, manière de nous faire partager ses impressions : « Ça ressemble quand même bien à un cimetière. »

Sur quoi il se remit debout et, d'un clin d'œil, retint notre attention. Il sortit le mètre à ruban de sa poche, mesura l'écart entre les deux derniers menhirs de la file, écart qu'il reporta ensuite en bout de rang, marquant la distance au sol de la pointe de son soulier, se pencha à nouveau et, s'aidant de son couteau, un couteau en inox qui ne le quittait jamais, paré de deux lames, d'un poinçon et d'un tire-bouchon, creusa à l'endroit indiqué un trou profond comme un poing, découpa un rectangle de carton dans son paquet de cigarettes, le glissa sous le corps de l'oiseau et déposa le tout dans la petite fosse avec les précautions d'un représentant en porcelaine. Maintenant que ses cigarettes étaient en vrac dans sa poche, il préleva le papier argenté qui les enveloppait et, luxueux linceul, en couvrit la petite victime.

Après un rapide tour d'horizon, il avisa une pierre au pied d'un bouquet de genêts en bordure du champ, la souleva puissamment, la transporta sur plusieurs mètres et la planta verticalement au-dessus de la sépulture improvisée, parachevant l'œuvre des lointains fossoyeurs.

Tandis que nous assistions en silence à la cérémonie funéraire, nous n'avions pas besoin de nous consulter pour deviner que nos pensées convergeaient vers la butée de terre au fond du jardin sous laquelle reposait le corps de notre dernier chien. Un berger allemand magnifique à l'amour exclusif qui, allongé sur le paillasson du magasin derrière la porte d'entrée, pour peu qu'il fût seul, mettait en fuite tous les clients : il lui suffisait de se redresser, la tête rentrée dans les épaules, les omoplates saillantes. Si la personne insistait, un grognement à basse fréquence complétait le message. Il y avait un sésame pourtant. A l'appel de son nom, il cessait ses menaces et se rallongeait lourdement. Les habitués entrebâillaient prudemment la porte, lançaient d'une voix mal assurée : « Varus », et il lui arrivait même d'approcher certains pour quémander une caresse. Fierté de ceux-là que le grand chien aux allures de loup admettait dans le cercle de ses favoris. Soulagement quand ils enfonçaient leurs doigts dans l'épaisse fourrure, tapotaient les flancs du bel animal ou malaxaient sa gorge en puisant en eux-mêmes une bonne dose de courage. Désagrément pour le magasin qui avait du mal à renouveler sa clientèle, bien qu'à l'époque celle-ci fût dans son immense majorité indigène – y compris la troupe de romanichels, dits aussi bohémiens, qui s'étaient sédentarisés dans un terrain vague à proximité du bourg. Les femmes en longues robes de couleur définitivement hors mode hurlaient en poussant la porte : « Retenez votre chien », et, tout en lançant des imprécations, glissaient sous leurs épais jupons quelques bibelots à portée de main. Pour la beauté du geste, car on les retrouvait souvent jetés dans un fossé avec un mépris somptueux que nous considérions comme désobligeant pour notre belle vaisselle.

Notre Cerbère à l'entrée, la maisonnée était bien gardée. Varus grandissait en âge et sa raison déclinait à mesure qu'il resserrait autour des siens le lien de son amour. N'habitant pas avec nous, notre vieille Marie se tenait à la périphérie de son attachement. Sa petite maison dans le jardin lui donnait un statut particulier d'invitée permanente. Elle n'avait pas à se faire connaître du grand chien, elle pouvait circuler librement sans le laisser-passer de son nom, mais ses gestes maladroits avec les animaux, comme avec les enfants, la maintenaient à l'écart. Un après-midi de fin d'été, alors qu'elle se promettait de nous emmener pique-niquer dans la campagne, le grand chien auquel elle signifiait de rester à la maison ne supporta pas qu'on lui subtilise ainsi les enfants dont il se sentait l'obligé. Et, comme nous nous préparions à partir, il sauta au bras de la vieille institutrice.

Le retour du père responsable fut tragique. La petite tante, le bras en écharpe, essaya bien de s'interposer, arguant que ce n'était pas grave, à peine quelques points de suture, et que pour ainsi dire elle n'avait rien senti. Il monta à l'étage, saisit dans le tiroir de la commode son arme de guerre, celle avec laquelle, épisode fameux dans la mythologie familiale, il avait forcé un barrage allemand, et emmena le chien dans le fond du jardin.

Il raconta plus tard à ceux qui pouvaient entendre que son bras avait failli devant le regard implorant de l'animal, toute l'incompréhension du monde concentrée dans la pupille sombre qui le fixait – ainsi, voilà ma récompense pour tout l'amour que je vous donne –, et puis l'incompréhension se changea en révolte, le regard devint féroce, les babines se retroussèrent, le grognement monta crescendo, et au moment où le chien allait s'élancer la main raffermie pressa la détente. L'explosion retentit entre les hauts murs de briques. « Tres de mayo » dans notre jardin. L'arme restée muette pendant la guerre comptait sa première victime.

Après l'inhumation solennelle de l'oiseau, quand nous remontâmes dans la voiture, papa ouvrit le guide de Bretagne à la page consacrée aux alignements et, comme on signalait ici 874 pierres dressées, il prit son stylo, raya le chiffre et au-dessus écrivit 875. Il se retourna vers nous. Clin d'œil.

Le voyage suivant fut fatal à la Dyna. Cette fois, on nous avait promis une surprise. Le collecteur de pierres entourait de mystère le clou doré planté au cœur de la Bretagne. À cet endroit, la carte, du moins ce que nous pouvions en lire – les nationales rouges, les départementales jaunes, les routes bordées de vert à caractère touristique –, ne signalait rien de remarquable : un lieu-dit en rase campagne à proximité de la boucle étranglée d'une rivière, le Blavet sans doute, là où le vieux sous-sol granitique contraint les cours d'eau à de capricieux détours. A l'heure du déjeuner, nous nous arrêtâmes à mi-chemin dans un de ses restaurants familiers où, après qu'il eut pris soin d'annoncer notre visite, nous fut servi un repas qui correspondait moins à la carte du jour qu'à ses goûts. C'est ainsi qu'à la table voisine qui convoitait notre mousse au chocolat il fut répondu avec beaucoup de malice qu'elle n'existait pas. Et, menu en main : « Far aux pruneaux, tarte aux pommes, glaces, où voyez-vous de la mousse ? » Ce genre de faveur était plutôt dérangeant, d'autant qu'il impliquait qu'en semaine d'autres femmes se montraient empressées auprès de lui, que les cuisinières étaient nombreuses sur sa route à lui préparer ses plats favoris quand il nous semblait que ce rôle était dévolu à maman seule. Partout dans son sillage nous étions accueillis comme l'empereur, sa femme et les petits princes. Lui paraissait heureux de nous présenter, de nous faire profiter de sa célébrité, persuadé qu'elle rejaillissait sur nous, ce qui était assez juste, nous l'avons vu après sa mort, bien que n'en retirant aucun bénéfice, mais sur le moment notre goût nous portait à moins de marques d'attention et davantage d'anonymat. Tout ce qui concourait à faire de lui un homme illustre – sa force de caractère, sa bonne humeur, son sens de la parole – nous renvoyait à notre difficulté à croître dans son ombre. Pour les autres, il était celui dont on attend le retour, une promesse de printemps, un oiseau de passage. Pour nous, le maître de maison.

Cette vie qu'en semaine il menait loin de nous, nous n'avions pour la recomposer que les noms dont il émaillait ses récits : noms de personnes, de lieux, d'hôtels qui, faute de repères, prenaient à nos yeux une dimension mythique. Il régnait sur une géographie fabuleuse : Pont-Aven, Vannes, Quimper, Péaule, Roscoff, Rosporden, Landivisiau, Hennebont, Loudéac. Le moindre bourg avait dans sa bouche une charge exotique. En voyage, l'illusion demeurait. Comme si par sa présence il avait le pouvoir de grandir toute chose. Et pourtant nous étions à même de vérifier que les villes traversées suintaient l'ennui et la tristesse, que les hôtels étaient modestes et que la cuisine des hôtesses ne valait pas toujours celle de maman.

Là où nous descendions, reçus avec ce supplément d'accueil qui nous donnait le sentiment d'être des personnalités considérables, on nous livrait en confidence, preuve qu'il n'y avait rien à cacher, quelques fragments de sa vie de nomade. Notre informateur s'approchait de la table au moment où nous entamions le dessert pour s'enquérir d'un « Ça va ? » d'autant plus assuré qu'il avait conscience de nous avoir bien soignés. Il nous parlait d'un homme inédit qui certains soirs s'attardait à discuter, regroupant plusieurs tables, invitant les solitaires, proposant une partie de cartes, et d'autres soirs montait prématurément dans sa chambre pour mettre à jour ses bons de commande ou simplement lire s'il se sentait fatigué. On vérifiait ce qu'on savait déjà, qu'il évitait les discussions politiques. Quand on se hasardait à lui demander ses opinions, il répondait : « Ma politique, c'est le sport », ce qui était moins une profession de foi qu'une manière élégante, peut-être fuyante, de couper court à ces débats où les passions dégénèrent et les serments d'amitié volent en éclats. Il abrégeait immanquablement ce genre de différends par un « Il y a mieux à faire » qui nous le rendait tel qu'en lui-même puisque faire, toute sa vie, il n'avait fait que ça : des meubles (son premier à douze ans), une lanterne magique pour distraire ses amis, décalquant sur du papier sulfurisé plusieurs aventures de Bicot dont il assurait à lui seul toutes les voix, des tours de cirque avec Flip, un ratier noir et blanc, le compagnon de son adolescence (célèbre photo prise au cours d'un spectacle de patronage, où tous deux, lunettes sur le nez et cigarette au bec, lisent ensemble un journal), des enfants (cinq, dont quatre viables et trois survivants), des kilomètres (cinquante mille par an), des associations. A treize ans, il était déjà trésorier de l'Amicale de Random qu'il avait contribué à créer avec sa bande de copains. Les copains – c'est ainsi qu'il légende une photo plus tardive où un groupe de garçons hilares pose dans le plus grand désordre devant l'objectif, certains en short, d'autres le pantalon remonté jusqu'aux genoux, tous se battant pour empoigner le ballon en cuir. Lui reste en arrière, en costume de ville et cravate, une cigarette au bout des doigts qu'il tient avec élégance comme James Bond son revolver. Il sourit, amusé, simplement heureux d'avoir œuvré à la réussite de cet instant. Ses lunettes cerclées d'intellectuel sévère semblent le tenir à l'écart de l'euphorie générale, comme s'il craignait pour elles dans cette joyeuse pagaille. Selon la date inscrite au dos il a seize ans, et plus très loin de son mètre quatre-vingt-six qui le fait dominer le groupe.

L'élégant jeune homme à la cigarette souffrait-il de n'être pas tout à fait à sa place dans ce coin de campagne qui l'avait vu naître, forçant l'amitié de ses camarades pour se convaincre du contraire et casant ses talents trop grands dans le peu que la vie lui concédait ? La pensée l'effleurait-elle quelquefois que, si le hasard de la naissance et les événements l'avaient mieux servi, il eût mérité de connaître un destin plus glorieux ? A le regarder, on se prend à rêver d'un riche avenir pour ce beau jeune homme entreprenant, maintenant que Munich a dissipé les ombres, que le spectre de la guerre s'éloigne et que la paix est assurée pour mille ans. Mais dans l'immédiat il semble que le principal pour lui est de ne pas être seul. Ils sont quelques-uns à se rappeler douloureusement qu'il ne tolère pas qu'on le traite de fils unique – seule occasion peut-être où il fit le coup de poing. Pensée pour ses frères et sœurs morts à la naissance ou avant terme, comme si par cette injure on lui reprochait d'avoir survécu à ce carnage d'enfants. Se sentait-il à ce point orphelin qu'il ait cherché toute sa vie à se fondre dans une famille ? Après, ce sera la création d'une troupe de théâtre avec, en point d'orgue, cette mémorable représentation des Trois Mousquetaires dans Random occupé. Ce sera encore l'organisation des retrouvailles des « Quarante ans » où, pour que toute sa classe d'âge y participe, pour qu'il n'y ait pas d'exclus même parmi les moins sortables, invétérés alcooliques ou presque clochards, il offrira de ses deniers voyages et repas aux plus misérables d'entre eux, André et sa femme, deux épaves magnifiques qui se sont rencontrées et ont rencontré la consolation de l'amour en cure de désintoxication, au Pont-de-Pitié, et qui se tiennent à côté de lui, main dans la main, sur la photo-souvenir réunissant ces nouveaux quadragénaires, paraissant plus que leur âge, bien sûr – les années de misère comptent double –, mais radieux, André seigneurial en homme responsable, chemise à carreaux et cheveux en bataille, Odette tout sourire avec sa coquetterie dans l'œil, découvrant sa dentition incomplète et portant autour du cou, sur sa robe de jersey dont l'arrondi approximatif sous le genou dit bien la fatigue, ce qui doit être sa seule parure, sa croix de communion sans doute, parce que pour un tel événement même les plus pauvres ne regardent pas à la dépense, fiers tous deux de cette considération du grand Joseph, sous sa protection, reconnus, adoptés – de la famille, en somme. Lui, une tête au-dessus, a le col de sa chemise ouvert, ce qui lui donne un air détendu, le même sourire que vingt-quatre ans plus tôt, quoique moins retenu, comme s'il avait décidé que sa place était ici, parmi ceux-là – et d'ailleurs il réfléchit à cette proposition du directeur du petit hôpital de Random qui, atteint bientôt par la limite d'âge, lui offre de prendre sa suite –, un de ses derniers sourires que n'altère pas la souffrance.

Après la mousse au chocolat, nous remontâmes dans la Dyna et prîmes la direction de Malestroit, où nous déambulâmes entre les vieilles maisons gothiques et Renaissance à pans de bois, aux façades ornées de sculptures grotesques et d'un curieux pélican, comme dans cette bande dessinée qui fait nos délices, avant de nous arrêter dans la communauté des sœurs pour admirer le petit Jésus tel qu'il apparut à une novice en extase : rose, sommairement langé, des boucles alexandrines sur le front. Allongé sur sa paille d'or, il ouvre les bras comme Sa Sainteté le pape et tient la tête relevée, ce qui demande un effort violent de la nuque et des abdominaux dont seuls semblent capables les bébés promis à un grand destin. A l'accueil, nous achetâmes une carte postale que papa au retour offrit à sa pieuse tante, notre universelle tante Marie, qui s'empressa de glisser l'image chérie dans un de ses innombrables livres de prières. Peut-être prévenait-il les reproches qu'elle ne manqua pas de lui faire en découvrant ce que nous rapportions, ce qui avait en fait motivé notre voyage : notre butin.

Nous avions repris la route à travers le dédale de la campagne bretonne. Les puissants bulldozers « en ce repos dominical » soufflaient près d'un talus renversé, la pelle à terre, leur masse rouge découpant dans le vert sombre du paysage d'inquiétantes saignées. Le ciel était couvert, il pleuvotait. A travers le battement des essuie-glace, le pilote désigna du doigt la flèche d'une chapelle qui émergeait de la palette citron d'un champ de colza. Le vacarme du moteur rendait les explications superflues, mais à une certaine insistance du geste nous comprîmes que nous touchions au but.

La flèche de granit surmontait une tour massive séparée de la chapelle, laquelle reposait en creux dans un amphithéâtre de verdure, si bien qu'à son approche on pouvait la croire à demi enterrée, victime de sa masse ou d'un effondrement de terrain, ce qui accentuait, ce raccourcissement des murs, son côté reliquaire, boîte à ossements précieux. La petite route, qu'annexaient les poules d'une ferme voisine, passait à hauteur des vitraux. En prenant son élan, d'un saut un peu risqué, on aurait pu atteindre la corniche et l'ange souriant coiffé d'un bibi de mousse verte qui semblait s'être réfugié sur le toit en prévision d'un enlisement définitif. Nous descendîmes l'escalier de pierre qui menait à la chapelle. L'entrée en était gardée par une fontaine dont le trop-plein se déversait dans trois piscines disposées comme les alvéoles d'un as de trèfle. Dans une boîte de conserve rouillée, un bouquet de fleurs des champs achevait de faner. Au lieu de pénétrer sous le porche, nous contournâmes l'édifice par la sente étroite engoncée entre le mur et le remblai de la route, jusqu'au chevet dont la base était envahie par des massifs d'hortensias. Celui qui nous avait conduit jusque là nous demanda d'écarter les grosses fleurs bleues. Maman nous mit en garde, vous allez vous mouiller, et devant notre hésitation, Joseph, tu vas te salir, qui se décidait à plonger dans les fleurs chargées de gouttelettes, agrippant quelque chose de lourd, faisant porter tout le poids de son corps en arrière, les pieds cherchant un appui solide sur l'herbe glissante, et puis, Joseph, tu es fou, qui sortait du buisson une pierre volumineuse en la culbutant – en fait, un bloc pyramidal tronqué et, maintenant que nous pouvions mieux en juger, un chapiteau sculpté aux motifs et figures rongés par le temps, qui ne provenait pas de la chapelle, parfaitement conservée, à première vue pas de pièces manquantes, mais d'un édifice antérieur peut-être, matériau non réutilisé, jugé trop barbare, pas assez raffiné pour l'élégance Renaissance, et abandonné près du chantier où notre orpailleur l'avait déniché et aussitôt camouflé, imaginant dans l'instant le parti qu'il pourrait en tirer, non plus cette fois dans l'optique du chaos, de ces rochers négligemment jetés entre deux plantes de rocailles, mais en l'inscrivant dans une histoire, en faisant faire à la longue marche civilisatrice un petit détour par notre jardin, en rappelant par ce geste prestigieux que, tailleurs de sabots ou de pierres, nous avions droit à notre part de reconnaissance.

Il y a dans la partie arrière du jardin, entre la petite maison de la tante et le garage, dressés au milieu d'un espace vide bordé de hauts murs, quatre poteaux de béton armé, hérissés à leur sommet de tiges de fer et qui, disposés en carré, semblent délimiter le périmètre d'un atrium ou d'un cloître. Ils devaient à l'origine supporter le toit d'un entrepôt, beaucoup plus vaste que l'ancien, jugé alors trop exigu. Projet de développement ambitieux interrompu par la guerre (la seconde), par la mort de son concepteur (Pierre, père de Joseph et frère de Marie), par un système d'imposition devenu plus rigoureux (avant 39, Pierre ne payait que la patente et refusa d'acquitter la taxe destinée à financer l'effort de guerre, estimant que, pour la guerre, il avait déjà donné – quatre ans dans les tranchées qui lui valaient de toucher une pension d'ancien combattant couvrant grosso modo sa consommation annuelle de tabac), et, plus sûrement, par les temps qui, à mesure qu'ils s'affirmaient nouveaux, rendaient de plus en plus intenable la situation des grossistes dans les petites communes rurales : maintenant que l'amélioration du réseau routier permettait de limiter les intermédiaires entre fabricants et détaillants, ce n'était pas le moment d'alourdir les stocks au risque qu'ils vous restent sur les bras.

Outre les poteaux de ciment subsiste un autre vestige du mirobolant projet grand-paternel, un portique de briques creuses maintenu par une armature de béton et qui devait en marquer l'entrée. Devant cette construction étrange, l'œil hésite. S'agit-il d'un bâtiment ruiné, petite manufacture abandonnée de l'entre-deux-guerres ? Ou d'une architecture inaboutie ? Et le toit ? Soufflé ou jamais posé ? Les hauts murs forcent à lever les yeux. L'absence de couverture découpe un large rectangle de ciel où trempe comme un pinceau la pointe fine d'un cyprès. Peu de bleu qui inviterait à une échappée verticale, ou par flaques, comme des trous d'eau entre la masse des nuages qui roulent à gros bouillons depuis l'Atlantique, ou s'effilochent, mal cardés, ou moutonnent, petites pelotes cotonneuses qui annoncent les lendemains de pluie. Un bleu parcimonieux, pâle, à fresque. Un bleu pauvre face à l'éclatante richesse des gris, entre perle et cendre, chinchilla et suie, lavis mouvant qui superpose ses brumes. Si la tête vous tourne à suivre les nuées, baissez les yeux, ouvrez une huître, décortiquez une moule : toutes les nuances des ciels de l'Atlantique sont répertoriées dans la nacre de ses coquillages. L'été, ce pré de ciel au fond du jardin est envahi par des colonies de martinets et d'hirondelles qui font du toit de l'église leur résidence secondaire et occupent leurs vacances à décrire en vol de joueuses arabesques, grand corps souple ondulant à la manière des paramécies et alimentant de ses petits cris stridents la poignée de beaux jours. Quand le regard redescend, il accroche au passage les tiges métalliques qui dépassent des poteaux de ciment. C'est un indice. Il faut comprendre que l'ouvrage a bien été interrompu.

L'idée de Joseph était herculéenne. Comme il nous l'expliquait, il sciait ces tiges, maquillait les poteaux en colonnes et posait au sommet de l'une d'elles le chapiteau qui depuis cinq ou six siècles attendait dans la terre bretonne de reprendre de la hauteur. Au centre, entre les quatre colonnes, il creusait un bassin de faible profondeur qu'il tapissait de mosaïques ou de morceaux de vaisselle brisée. Imaginez : la villa d'Hadrien en notre jardin. Le grand architecte audacieux mêlait les siècles et les styles et achevait en le ruinant l'inachevé. Les statuettes pieuses de la tante disposées dans le mur complétant le tableau, le regard ne saurait plus du coup à quel saint se vouer. Ce monument affronterait les temps futurs. Nous plantions dans la carte de Bretagne au-dessus de Random une pointe à tête de diamant.

« Joseph, tu es fou » rêvait grandeur nature et entreprenait maintenant de culbuter la lourde pierre jusqu'à l'escalier, progressant à chaque fois de la longueur d'une face, renouvelant vingt, trente fois l'opération, sur une face biseautée déviant parfois de sa ligne, ce qui l'obligeait à remettre le chapiteau dans l'axe, puis le hissant degré par degré au risque, Joseph, fais attention, qu'en équilibre instable sur les marches étroites il redégringole et l'entraîne dans sa chute, puis il reculait la voiture au plus près, ouvrait le coffre arrière, le débarrassait d'une couverture et d'un bidon d'huile, se penchait au-dessus de la pierre posée sur chant, légèrement inclinée, s'en saisissait à bras le corps, Joseph, tu vas te salir, et, comme un haltérophile, inspirait violemment avant de la décoller de terre, mâchoires crispées, son visage livrant la mesure de l'effort, portant un instant son fardeau comme une femme lourdement enceinte, et le redéposant avec précaution quand ses bras tremblent qui, s'il ne tenait qu'à eux, auraient déjà tout lâché, la voiture s'écrasant soudain sur son essieu arrière, et lui, les mains sur la pierre, demeurant un long moment à la recherche de son souffle, paupières baissées, puis il se redresse, porte une main à son dos, Joseph, tu t'es fait mal, mais ne rien dire qui déclencherait de sa part une réaction sèche, le regarder simplement en silence comme on attend d'un moment suspendu qu'il donne un nouveau signe de vie.

Ils étaient plusieurs à tourner autour, à donner des petits coups de pied discrets dans les pneus, passer une main caressante sur les ailes, jeter un œil au compteur – 130 kilomètres/heure, mais ils sont unanimes, moins le propriétaire peut-être, à penser que les compteurs sont gonflés –, éplucher un reste de film plastique bleu sur les chromes, quand vous tirez dans l'espoir d'en arracher un long morceau, mais qu'au lieu de filer le film se rétrécit de plus en plus jusqu'à former une langue pointue qui ne tarde pas à se briser. Cependant c'est bien la preuve, cette pellicule de protection, que la voiture est neuve et non d'occasion – ce qui a souvent un côté plat réchauffé, vêtements déjà portés –, fraîche sortie de l'usine, encore à demi enveloppée dans son papier-cadeau bleu translucide. Après la débâcle de la Dyna rentrant à vitesse poussive par les routes bretonnes dans un tintamarre assourdissant, la 403 vert métallisé arrêtée devant le magasin et livrée à la convoitise des curieux est un délicieux présent. Voir l'air ravi du voyageur quand il s'installe au volant et fait tourner le moteur devant ses amis : chacun tend l'oreille en direction du capot et, en souvenir de la Dyna, feint de ne rien entendre. Quoi ? Ce presque murmure suffirait à propulser une voiture ? Son sourire à travers les reflets du pare-brise, et comme il donne deux légers coups d'accélérateur pour traduire son contentement.

Le paquet de Gitanes a déjà trouvé naturellement sa place sur le tableau de bord devant le volant. Il en prélève une cigarette et, par coquetterie, au lieu d'utiliser son briquet, presse l'allume-cigare, qu'il tend ensuite par la portière ouverte aux fumeurs ébahis. « Attendez, ce n'est pas tout. » Il fait aussi la démonstration du dossier inclinable de son siège. « Il ne manque plus que la douche », remarque quelqu'un. Quand il sort de la voiture, il se reprend à tourner autour avec le groupe et, la cigarette au coin des lèvres, se plante devant la toute nouvelle plaque d'immatriculation : 917 GG 44. « GG, grande gueule », dit-il. Voilà donc l'opinion qu'il craint que les autres aient de lui ? Pourquoi battre ainsi sa coulpe en public ? L'ombre bien vite se dissipe et chacun rit de la plaisanterie.

Dans cette pacifique guerre des Deux-Roses que se livrent au début des années soixante les partisans de Peugeot et de Renault – et, si l'on considère les victimes des accidents de la route, ce fut une guerre sanglante –, désormais nous sommes Peugeot. Aux Renault qui vantent la vitesse, la nervosité, la ligne plus sportive de la gamme au losange, nous opposons nos arguments : solidité, tenue de route, résistance du moteur, et une tôle qui ne finit pas en accordéon. Pour plus de précautions, il vissera sur le tableau de bord une lourde médaille en bronze du bon saint Christophe, qu'il a pris soin de récupérer sur la Dyna avant qu'elle ne parte à la casse. Ce qui, de cet homme, étonne un peu. Le ciel est prioritairement une affaire de femmes. Est-ce pour complaire à sa dévote tante Marie ? Quoi qu'il en soit, la 403 est une voiture honnête, sans manières, sur laquelle on peut compter. Comme lui. Ils s'entendront. Ce confort retrouvé verra la fin de ses ennuis, l'apaisement de ses douleurs au dos qui depuis peu reviennent lancinantes. Trop de valises manipulées, et ces pierres inutiles qu'il entasse dans son jardin. Il ne reconnaîtra pas, pas lui, qu'il a peut-être abusé de ses forces. Et qui s'aventurerait à lui en faire la remarque ? Autant lui reprocher de se tuer au travail pour les siens. Or il tient précisément à ce que les siens vivent au-dessus de ses moyens, il y va de son devoir de père et d'époux, et pour cela ne regarde pas à la dépense.

Mais, avec une telle acquisition, tout ira bien maintenant. Et, de fait, la vaillante 403 le mènera jusqu'à la ligne mythique des cent mille kilomètres dont il guette à son compteur le franchissement. Cette remise à zéro, cet alignement de cinq chiffres vierges efface du même coup quatre-vingt-dix-neuf mille neuf cent quatre-vingt-dix-neuf kilomètres de routes bretonnes (il n'y eut pas d'autres voyages sur cette période), deux années d'hôtels, de clients, de déballages, de boniments, une cure faustienne pour le prix de la solidité d'un moteur et d'une carrosserie. Encore quelques mètres et rien n'a eu lieu, ni l'éloignement, ni les soirées solitaires, ni l'espoir de jours meilleurs, encore un tour de roue et le monde n'est qu'un perpétuel recommencement. Voilà. Virginité parfaite du compteur. Il se range sur le bas-côté de la route qui domine une petite vallée où un bulldozer s'acharne à transformer une mosaïque de champs minuscules en plaine beauceronne. Depuis quelque temps il confie sa tristesse et son désarroi devant ce paysage que l'on torture sous ses yeux. Sa colère parfois. Dans ce désert qui s'annonce, où puisera-t-il de nouveaux repères ? Chaque arbre était une balise de sa géographie personnelle, à telle croix de carrefour – et elles pullulaient en Bretagne, devant lesquelles les femmes étaient nombreuses à se signer –, la voiture comme d'elle-même s'engageait dans la bonne direction, un champ d'ajoncs annonçait le printemps mieux que la couleur du ciel, et certain clocher qui pointait au-dessus des talus semble maintenant dévêtu, à ce point visible de loin qu'on ne prend plus la peine de se dérouter pour satisfaire sa curiosité. Ce coup de balai furieux sur le grand œuvre des gens de la terre – s'attaque-t-on aux jardins de Vaux-le-Vicomte ? –, c'est comme si l'on arrachait sans ménagement les clous à tête de couleur de sa carte murale. Fallait-il que la remise à zéro de son compteur s'accompagnât d'une table rase du paysage ?

Il coupe son moteur. Le silence qui s'installe est aussitôt envahi par le ronronnement parasite de la pelle mécanique dans le lointain. Il est maintenant à pied d'œuvre et, ce qui va suivre, il l'a prémédité. Il le racontera, faisant preuve d'une belle indépendance d'esprit, car son histoire, c'est une histoire de bonne femme qu'aucun réputé gros bras ou censé dur à cuire n'oserait endosser, une sorte de marché comme on en passe parfois pour s'assurer sur l'avenir : si les choses arrivent comme je l'espère, je m'engage à faire cela – être sobre, sourire au chat du voisin, avaler une boîte de clous, pèleriner à genoux jusqu'à Jérusalem, les propositions varient selon l'importance du marché. Il en est maintenant à ce moment où il lui faut tenir parole. Mais comme il est difficile de se mettre en scène, d'oublier son quant-à-soi. On s'observe, paralysé. Il temporise en allumant une cigarette.

L'après-midi finit doucement, le ciel voilé diffuse une apaisante lumière sur la campagne bretonne, comme un baume cicatrisant sur les champs dévastés. Les hautes butées de terre repoussées en bordure du vallon se couvrent déjà de digitales et de ronciers, et sont l'objet d'une grouillante activité depuis que les exclus des talus ont choisi d'y nicher. Quelques vaches remontent le pré et viennent aux nouvelles en passant la tête par-dessus la haie. Il baisse la vitre, la fumée s'échappe. La chaleur est telle dans la voiture avec ce chauffage poussé au maximum que la douceur de l'air le fait frissonner. Peu à peu, les odeurs d'herbe et d'aubépine se mêlent aux relents de tabac froid qui imprègnent l'habitacle. Il hésite encore. Au moment d'expédier son mégot d'une pichenette du pouce et de l'index de l'autre côté de la route, un signe se produit, un miracle quoi qu'en aient dit ceux qui n'y virent que la fin d'une journée de travail : la pelle mécanique se tait, livrant soudain l'espace aux chants des oiseaux, à leur envol – ce léger tremblé de la branche et des feuillages –, au frémissement de la haie que frôle la croupe puissante des vaches, au piétinement de leurs sabots, aux échos assourdis d'une ferme, et, dans la paix du soir qui s'annonce, il remercie le ciel de l'avoir accompagné tout au long de ces cent mille kilomètres sans autre pépin que les réparations d'usage, sans le moindre incident pour lui et les siens, il remercie d'être en vie. Il récite un Notre Père et trois Je vous salue Marie.

Ce qui pour la petite tante eût été le b a ba, venant de lui on ne l'aurait jamais cru. Non qu'il s'affichât comme libre-penseur, mais ses propos sur la religion se teintaient d'un anticléricalisme discret qui peinait notre vieille Marie, laquelle partageait son temps entre l'école des sœurs où elle enseignait et l'église où, en plus de sa participation assidue aux offices, elle assurait une sorte de maintenance, ayant notamment en charge la collecte des troncs, ce qui s'apparentait, pour nous qui avions le privilège de l'accompagner dans son relevé du dimanche soir, à un fric-frac avec clé – cette découverte fébrile, à l'ouverture de la petite porte de bois, des pièces amoncelées glissées par la fente (menue monnaie et quelques boutons) que nous raclions de la main pour les recueillir dans une poche de toile en veillant à ce qu'aucune ne tombe à terre, vérifiant ensuite à tâtons dans les coins de peur d'en oublier, et ainsi de tronc en tronc, à tour de rôle, augmentant notre butin, le sac pesant de plus en plus lourd dans nos mains, nos pas de voleurs licites résonnant dans l'inquiétante pénombre de l'église. Mais la tante évitait les discussions avec son neveu. D'abord parce qu'elle l'aimait, ensuite parce que les dogmes, l'Eglise et ses servants sont des choses qui ne se discutent pas. Elle préférait couper court en haussant les épaules et, tournant les talons, s'éloignait de sa démarche trottinante, tête baissée, continuant d'argumenter pour elle-même en marmonnant. Il avait beau jeu de lui rappeler que les bonnes sœurs qu'elle défendait si âprement lui en avaient fait voir de toutes les couleurs au cours de sa carrière d'institutrice, au point d'accepter la proposition de son frère d'abandonner sa chambre à l'école et de venir habiter la petite maison qu'il avait construite à son intention dans le jardin – ce qu'elle dut vivre comme une désertion. Tout cela, elle le savait bien sûr. Il n'était pas nécessaire de mettre le doigt sur la plaie. Il lui arrivait encore de revenir de l'école au bord des larmes pour une réflexion désagréable de la sœur supérieure. Mais c'était son affaire. Il ne lui appartenait pas de porter un jugement sur ces femmes qui vouaient leur vie au service du Christ quand elle-même, après tout, si pieuse fût-elle, n'avait jamais pris le voile. Peut-être payait-elle ainsi sa dérobade. En revanche, elle se permettait de signaler à son neveu frondeur qu'on approchait de Pâques et que les confessionaux l'attendaient pour le grand nettoyage de printemps. Bien que se décidant à la dernière minute, il lui concédait ce check-up annuel, mais, semble-t-il, sans tourments métaphysiques apparents. Ce qui ne manquait pas de nous inquiéter pour le salut de son âme. C'est cette pratique religieuse, à nos yeux extrêmement flottante, qui nous l'avait fait classer, sinon parmi les mécréants, du moins dans cette catégorie très dilettante de fidèles par habitude ou obligation. On ne doutait pas que manquer la messe dominicale, comme de croquer l'hostie ou de blasphémer (même si pour cela on ne savait trop comment s'y prendre), c'était se mettre en état de péché mortel. Or lui jouait avec le feu, arrivant bien après l'introït, le sermon déjà bien entamé (toujours ennuyeux à ses dires, et pourtant le curé Bideau, du haut de la chaire, présentait une vision terrifiante de l'enfer, martelant d'une voix d'outre-tombe, les yeux exorbités, penché en avant, ce qui lui valait quelquefois de se cogner les dents dans le micro : « Oh, le démon, oh, le vilain démon », comme s'il l'apercevait dans le sage décolleté des femmes en contrebas – mais une telle admonestation ôtait toute envie de faire le malin), se tenant debout près de la porte, à côté du bénitier, s'appuyant parfois, sur la fin, contre un pilier (l'église ne désemplissait pas à cette époque et il n'était pas question de remonter l'allée centrale à la recherche d'une chaise vide, surtout si vous étiez chaussé de souliers vernis craquants, à moins, bien entendu, de souhaiter qu'on les remarquât), profitant du remue-ménage de la communion et des allées et venues dans les collatéraux pour s'éclipser avant tout le monde, le grincement de la porte couvert par l'orgue et cinq cents poitrines entonnant à tue-tête : « Je suis chrétien, voilà ma gloire, mon espérance et mon soutien ». Ce qui ramenait sa durée de participation à l'office divin à un gros quart d'heure. On craignait que ce ne fût pas suffisant.

A vrai dire, il n'était pas le seul à agir de la sorte. C'était même la marque des hommes en général, dont un bon nombre, qui ne souhaitaient pas rester debout bien qu'arrivant en retard, empruntaient des chaises dans les cafés de la place qu'ils transportaient pour leur commodité dans le fond de l'église. On assistait ainsi chaque dimanche à un curieux ballet dans le bourg. Certains, prématurément éméchés, avaient du mal à franchir le tambour de la porte latérale sans cogner leur chaise contre les panneaux de menuiserie, perturbant le grand silence solennel de l'offertoire et s'attirant les foudres de Bideau, dont le regard décollait du ciboire pour identifier le coupable et le sermonner à la prochaine occasion. Mais ces remontrances faisaient aussi partie du rituel. Preuve d'une appartenance au clan des hommes. On doutait même de la virilité de ceux qui à la messe n'en perdaient pas une miette. Installés dès le premier son de cloche au premier rang, missel ouvert en main et cantiques en bouche – une présomption d'impuissance qui ne manquait pas d'être injuste pour celui qui avait une tête de prédicateur mormon, une seule femme et dix enfants.

La caste des dévôts regroupait souvent d'anciens séminaristes détournés du droit chemin par l'appel du sexe. On se souvenait d'en avoir vu porter la soutane et se dérober peu avant l'ordination. Enrôlés dès leur plus jeune âge dans la filière ecclésiastique (pour les plus pauvres, c'était l'assurance de poursuivre des études, avec le prestige qui en découlait), ils découvraient sur le tard qu'on ne leur avait pas tout dit. Ils conservaient cependant leur foi première, poussant leurs enfants à reprendre la voie abandonnée, lesquels attendaient moins longtemps que leur père avant de virer définitivement agnostiques.

La Fête-Dieu était pour le grand Joseph l'occasion de montrer ses talents d'organisateur et d'inventeur. La procession du saint sacrement suivait un chemin semé de pétales de fleurs, remplacés le plus souvent, pour cause de floraison tardive, par des copeaux de bois diversement colorés qui déroulaient un long ruban aux motifs géométriques bariolés à travers les rues de la paroisse et que Bideau, ostensoir en tête, était le premier à fouler. Chaque quartier était responsable de la décoration de son secteur. Le quartier du haut du bourg avait l'avantage de posséder dans ses rangs, en la personne du charcutier, un authentique artiste capable de réaliser une victoire de Samothrace en saindoux ou une crèche en rillettes d'oie. Sur le plan purement esthétique, il n'était pas question de rivaliser avec une reproduction d'un Christ en majesté dans sa mandorle fleurie. Nous nous en tenions donc à une mosaïque élémentaire, losanges et frises, agrémentée dans un virage à angle droit d'une rosace, comme aux heures d'ennui en tracent les écoliers avec leur compas.

Tôt le dimanche matin, les bonnes volontés se

réunissaient dans le garage, dont les portes restaient grandes ouvertes, accueillant les badauds, les bénévoles à temps partiel qui mettaient dix minutes la main à la pâte, les conseillers (plutôt que de procéder comme ci, vous devriez procéder comme ça), les raconteurs d'histoires véridiques de chats écrasés – ou plutôt de poules, lesquelles, plus sottes et moins véloces, payaient un lourd tribut à la circulation automobile –, les langues sèches (il était prévu des pauses rafraîchissantes pour les fresquistes), les mouches du coche et, à mesure que la matinée avançait, les femmes et les enfants.

La première phase consistait à diluer les colorants dans de grandes bassines avant d'y plonger les copeaux de bois apportés par cartons et brouettes de l'atelier de menuiserie voisin et stockés à l'année en prévision de la procession. Les uns et les autres se relayaient pour remuer la mixture à l'aide d'un bâton dont l'extrémité immergée se gainait selon les bassines de vert, jaune, bleu, orange, acquérant par cette marque distinctive un statut particulier, sorte de bâton de maréchal qu'au lieu de brûler ou jeter on recyclait par la suite comme tuteur au pied d'un rosier. Il fallait veiller en tournant cette soupe épaisse à ne pas s'éclabousser, car la teinture était tenace, s'incrustait sous les ongles. Ceux qui trouvaient trop féminin d'enfiler des gants au moment d'étaler les copeaux conservaient longtemps au creux des lignes de la main une fine crépine colorée que certains ne semblaient pas pressés d'effacer, manière de dire, tendant leurs paumes ouvertes :

« J'y étais », avant d'entamer le récit de la joyeuse matinée.

Pour la fresque réalisée au pochoir, on utilisait des châssis qui ressemblaient à des tronçons de voies ferrées. Les traverses entre les deux rails de bois dessinaient des figures géométriques qu'il suffisait de combler avec les copeaux de couleurs. Une fois ce travail achevé, quatre hommes soulevaient délicatement le bâti de façon à ne pas chahuter la fragile mosaïque et le déposaient dans le prolongement de l'ouvrage, répétant l'opération jusqu'à la jonction avec le quartier voisin.

Les voitures ce jour-là étaient priées de faire un détour afin de ne pas trancher le long ruban multicolore, ce qui n'allait pas sans contestation. Les artistes à genoux sur le bitume, courbés sur le motif, occupaient ostensiblement le centre de la chaussée. Sûrs de leur légitimité, ce n'était pas une série de coups de klaxon qui pouvait les en déloger. Pour plus de précaution – et aussi parce que Joseph veillait à lui donner un rôle –, on proposait à André, entre deux vins, de régler la circulation, ce dont il s'acquittait, fort de l'appui du groupe, avec un sens certain de l'autorité, sifflant les contrevenants en portant deux doigts à la bouche, et allant jusqu'à teindre en rouge dans un des bacs son mouchoir qu'il agitait devant les pare-brise en signe d'interdiction.

La rue longeant le garage était régulièrement empruntée par un troupeau de vaches qui pâturaient dans les prairies grasses du bas du bourg. Il n'était pas besoin d'avoir de grands talents de pisteur pour les suivre à la trace. On pouvait même sans peine dater la fraîcheur de leur passage. Idéalement, il convenait de nettoyer au préalable la chaussée, mais ce jour-là le temps pressait, les copeaux manquaient et Joseph improvisait, confectionnant à la hâte un châssis sommaire composé de deux chevrons maintenus par quatre traverses, tandis qu'il envoyait une armée de volontaires tailler le buis et le laurier du jardin. On avait à peine fini d'essaimer en alternance les petites feuilles rondes et les feuilles lancéolées que le cortège débouchait à l'angle de la rue. Chacun se rangea sur le bas-côté, bras croisés ou mains posées l'une sur l'autre en cache-sexe, reprenant au vol un cantique ou une prière, adoptant un air de circonstance, mine contrite et regard inspiré, quand un spectateur perfide donna un coup de coude à son voisin. Le temps que celui-ci réagisse et il propageait à son tour la bonne nouvelle qui remontait les rangs comme une traînée de poudre, la gravité contenant de plus en plus mal l'irrépressible envie de rire qui gagnait les visages, les uns se mordant les lèvres, d'autres tournant soudain le dos, d'autres encore préférant s'éloigner pour donner libre cours à une inconvenante gaieté, cependant que Bideau, recueilli, ostensoir à hauteur du visage, d'un pas d'une excessive lenteur, à travers le tapis de feuilles vertes, marchait cérémonieusement dans la bouse.

Se doutait-il de quelque chose, qu'il ait tenu pour notre dernier voyage à nous faire visiter Paris ? Il y avait plusieurs années que nous n'étions pas partis en vacances, ce qui, en dépit des statistiques, ne nous gênait pas beaucoup. Nous étions très bien à passer l'été entre les hauts murs du jardin. C'est partir au contraire qui était dérangeant. Moins de quitter nos repères familiers que d'être exposés soudain aux regards – on ne voyait qu'eux : qui vous faisaient remarquer au restaurant que vous teniez mal votre fourchette, à l'hôtel que vous marchiez trop bruyamment dans les couloirs à la recherche de votre chambre, dans un téléphérique que votre présence risquait d'entraîner une surcharge au point de vous donner envie de sauter dans le vide, au cirque de Gavarnie que vous grimpiez à pied quand de plus riches, ou de plus téméraires, montaient à dos de mulet, au château de X que vous aviez tort de trouver bien court le lit de Du Guesclin, et donc Du Guesclin lui-même, et, à La Bourboule de grimacer en avalant les eaux arsenicales de la station. C'était bien entendu les mêmes qui depuis toujours nous interdisaient l'accès de la plage : trop blancs. Paris était plus intimidant encore. La décision de visiter la capitale avait été, semble-t-il, hâtive, presque impromptue, de la même façon que, rentrant un soir vers dix heures, il s'était mis en tête d'abattre une cloison dont il entamait sur-le-champ, au marteau, la démolition. Le choix paraissait d'autant plus surprenant que nos conversations ne tournaient pas comme des phalènes autour de la ville phare. Ce changement de cap après la rudesse des paysages bretons auxquels il nous avait accoutumés, c'était comme si, délaissant la vie des pierres, il avait aspiré à un déferlement de lumière. Comme une rémission irradiante avant la nuit obscure.

Ses derniers congés, il les avait passés à retaper et embellir la maison, doublant et isolant les plafonds, retapissant les chambres, aménageant et agrandissant le magasin en lui adjoignant un sous-sol : deux niveaux, comme à la ville. Cet été-là, suivant ses plans qui allaient du nécessaire au superflu, il aurait dû s'attaquer au jardin. Tous les matériaux pour son grand projet étaient enfin réunis. Enfouies sous de hautes herbes, les pierres rapportées de Bretagne attendaient depuis de longs mois leur destination finale. Le chapiteau se couvrait de mousse verte. Toute la vaisselle brisée atterrissait dans une caisse et l'on commençait à douter qu'elle dallât jamais le fond du bassin. Mais, peut-être déconseillé par les médecins ou parce qu'il ne s'en sentait ni le goût ni la force, il semblait avoir mis en sommeil sa rêverie babylonienne.

La 403 arrivait à bout de course. Après avoir franchi religieusement la ligne des cent mille, elle avait encore continué quelques mois, mais son exceptionnelle longévité était le gage même de sa fin prochaine. Les kilomètres lui pesaient de plus en plus. Elle avait pour sa consommation d'huile la gourmandise d'une vieille dame pour les sucreries. Les pièces cédaient les unes après les autres, que Joseph remplaçait le dimanche. On se doutait que Paris serait son chant du cygne. Afin de la ménager, au lieu de parcourir d'une traite les cinq cents kilomètres, le premier soir nous faisions halte entre Chartres et Versailles. Le lendemain, au petit trot, nous entrions dans la capitale.

Les voyageurs sont bien souvent des voyageurs immobiles. Ils se posent où avions et bateaux les déposent. C'est ainsi que les immigrants bretons investirent les abords de la gare Montparnasse. Notre guide, qui ne faisait rien comme tout le monde, nous installa à l'opposé, du côté de la porte Dorée, dans un hôtel dont les persiennes éclairées par les lampadaires de la rue dessinaient sur le plafond de la chambre deux échelles lumineuses. Le roulement incessant des voitures jusque tard dans la nuit rendait un peu le son familier de l'océan. Et, pour que le dépaysement ne fût pas trop grand, il pleuvait sur Paris. Ce qui ne faisait pas l'affaire des fauves du zoo de Vincennes tout proche, par lequel nous entamâmes notre visite de la capitale. Ce qui ne faisait pas la nôtre non plus, car du coup ils avaient déserté les faux rochers de leur décor d'opérette africaine. Nous nous rattrapâmes avec les ours blancs et les otaries, qui trouvaient bienvenue cette pluie d'août et plongeaient dans leurs bassins douteux avec des grâces de sirènes. On progressait lentement dans les allées, déchiffrant les pancartes des cages, testant nos connaissances, heureux de vérifier que la grande perche à long cou tacheté était bien une girafe. En dépit de notre allure réduite, il s'arrêtait de temps en temps, nous laissant filer quelques pas. Nous retournant, nous lisions une expression de souffrance sur son visage. On le voyait verser plusieurs cachets de Véganine dans sa main et les avaler à sec, la tête brutalement rejetée en arrière. Même les pitreries des petits singes qui en trois cabrioles se juchaient sur le crâne de leurs mamans placides ne parvenaient pas à le dérider. Le seul à lui arracher un rictus amusé fut un gardien du parc affublé d'une casquette trop grande, qui demandait à un groupe massé devant une cage de dégager la piste, et, après un silence : « aux étoiles ». Puis, ravi de son effet, d'un geste théâtral il fit claquer dans l'espace un fouet imaginaire de Monsieur Loyal.

Après cette introduction à la vie sauvage, nous étions prêts à affronter la grand'ville. Des arrêts obligés, nous ne vîmes ni la tour Eiffel – sinon sa silhouette de derrick trop poussé par-dessus les toits –, ni le musée de cire, ni le Sacré-Cœur, pas non plus de détour par le Moulin Rouge, la cour Carrée du Louvre ou les jardins du Luxembourg. On pouvait croire que son programme épousait ses pensées : Notre-Dame, le palais de la Découverte, les Invalides et, hors les murs, une visite au château de Fontainebleau que, par la suite, il nous fut difficile de ne pas interpréter comme une cérémonie des adieux.

Lancer la 403 dans le flot de la circulation parisienne, vu son état, n'eût pas été raisonnable. Aussi c'est en se serrant autour de notre grand homme que nous nous engouffrâmes dans le métro. Passé la cohue intimidante devant les guichets, au moment de choisir notre direction, nous eûmes la bonne surprise de nous retrouver en pays de connaissance : le plan électrifié du métro – où des points lumineux de diverses couleurs selon les lignes tracent à la demande l'itinéraire idéal entre deux stations – était la réplique, en plus sophistiqué, de sa carte de Bretagne. Grâce à quoi nous nous sentîmes un peu moins provinciaux, à notre insu Monsieur Jourdain de la capitale, comme si le mode de transport parisien par excellence nous était déjà acquis. On retrouvait bien là sa façon de nous baliser le chemin, de nous préparer par une suite d'indices à d'autres mondes, comme ce magasin sur deux niveaux, incongru dans une petite commune – cette incessante guerre de mouvement qu'il menait contre la routine et l'incapacité de la plupart à remettre en cause l'ordre des choses : il n'hésita pas par exemple à se débarrasser de deux armoires anciennes peu pratiques pour installer dans le couloir du premier étage un monumental meuble de rangement de sa conception, à l'esthétique incertaine, mais répondant à tous les besoins, de la penderie au coffre à linge, et équipé d'un système d'éclairage intérieur pour lequel l'ouverture et la fermeture des portes faisaient office d'interrupteur. Mais cette similitude entre les deux cartes avait de quoi le laisser songeur, qui en même temps reconnaissait son esprit créatif et le flouait de son invention. Tapotant les touches correspondant aux stations, essayant différentes formules, il laissa même passer plusieurs personnes avant lui afin de ne pas être dérangé dans son dialogue privilégié avec la machine. Il n'était pas besoin d'être grand sorcier pour deviner qu'il étudiait la possibilité d'électrifier pareillement sa carte de Bretagne : au lieu des pointes fines à têtes de couleur et du coton à repriser en fil d'Ariane, une kyrielle de petites ampoules éclairant comme une guirlande de Noël son programme de la semaine. Pour l'homme moderne qu'il était, c'était dans la logique du progrès. Mais il eut cette mimique, une contraction des lèvres, par laquelle nous crûmes comprendre qu'il renonçait. Pas dans ses cordes, ce réseau complexe de branchements, de fils électriques – ou trop lourd, ou une certaine lassitude, soudain. Et puis, à quoi bon ? N'avait-il pas déjà envisagé de se retirer, d'abandonner cette longue errance en acceptant la proposition du directeur de l'hôpital-hospice de Random de prendre sa suite ? Des panneaux lumineux, des lampes qui clignotent, il y en aurait plein le standard et les salles de garde. Les occasions ne manqueraient pas d'utiliser ses talents d'inventeur. Quant à son futur trajet, il n'aurait désormais qu'à marcher trois cents mètres. Pas de quoi afficher une carte d'état-major dans son bureau.

De Porte Dorée à Invalides c'était simple aussi.

Aucun changement. Ligne directe. A croire que l'emplacement de l'hôtel avait été judicieusement choisi. On trouvait dans sa bibliothèque une Vie de Napoléon dont la couverture s'ornait du Bonaparte échevelé franchissant le pont d'Arcole, par le baron Gros, et jetant derrière lui un œil inquiet à l'idée de n'être pas suivi. Ce qui, de fait, eût mis un terme précoce à sa carrière. Mais il le fut – suivi. Si bien qu'il reposait maintenant, coucou parmi les fastes louis-quatorziens, sous le gigantesque dôme doré de Hardouin-Mansart, dans son mausolée de porphyre rouge, livré à la curiosité de la foule qui s'agglutinait à la balustrade de la galerie circulaire pour admirer en contrebas, au centre de la crypte ouverte, les cendres impériales – même si en fait de cendres personne ne songea jamais à incinérer son cadavre, et pas même les Anglais : le traumatisme de Jeanne d'Arc, sans doute. Mais « les cendres » présentent mieux que « les restes », dont on se demande toujours comment les accommoder. Et accommodant, l'hôte de Longwood, Sainte-Hélène, ne l'était pas. Pourtant, hormis cet ouvrage, il n'apparaissait pas que Napoléon occupât une place particulière dans le panthéon familial, si ce n'est auprès du cousin Rémi dont l'anniversaire tombait le jour du sacre et d'Austerlitz, ce qu'en cette occasion il ne manquait jamais de rappeler, réponse voilée peut-être à son cousin Joseph né le 22-2-22 et qui voyait dans cette théorie remarquable une sorte de marque du destin, une formule magique qu'elle n'était sans doute pas si l'on se réfère à son pauvre compte de vie.

Mais le souvenir napoléonien n'aurait peut-être pas suffi à nous attirer aux Invalides s'il n'y avait eu une raison plus profonde à notre visite. Après s'être penché quelques instants au-dessus du tombeau impérial et sans même s'attarder devant les pompeux bas-reliefs de la crypte représentant le nouveau Christ-roi entouré de ses généraux comme des apôtres, il entreprit de rechercher parmi les centaines de drapeaux exposés dans l'église celui du septième régiment de dragons auquel avait appartenu son père. Un dragon dans une tranchée après des années de guerre ressemble à n'importe quel poilu plongé dans la souffrance et le froid. La photo de Pierre au front, dans son costume de drap bleu maculé de boue, souriant malgré tout pour ne pas inquiéter les siens, n'a plus grand-chose de commun avec celle, datant de ses classes quelques années avant le conflit, où, coiffé du casque à la longue crinière et l'épée au côté, il bombe le torse dans son bel uniforme à brandebourgs frappé au col de deux 7 brodés. Mais à la dédicataire de l'envoi on comprend que cette noble prestance a surtout pour but de séduire sa promise et future épouse. Le maréchal des logis fourrier qui, sur une autre photo de la même période, pose dans la bonne humeur avec ses compagnons d'armes devant l'escalier en fer à cheval du château de Fontainebleau, ville où le régiment était basé, n'imaginait sans doute pas du tout que ces gaietés de l'escadron déboucheraient un jour sur un théâtre d'horreur. De ces quatre années au front il ramènera un vif dégoût de la chose militaire qu'il communiquera à son fils, lequel, incorporé dans l'armée régulière après ses deux années de clandestinité, n'hésitait pas à lancer un camembert à la tête d'un officier dont il estimait l'ordre parfaitement stupide – geste qui, on le devine, ne fut pas pour lui sans conséquences.

Et il était là maintenant, le nez en l'air, à tenter de retrouver le drapeau de son père parmi ces piteux trophées qui offraient jadis aux tireurs adverses la cible idéale et sans défense du pauvre porteur cramponné à la hampe. Accrochés à plusieurs mètres du sol, serrés comme les pièces d'étoffe d'un bazar, il ne disposait pour les identifier que de fragments de lettres et d'insignes fanés dont la lisibilité se perdait dans les plis des ors, des bleus et des pourpres. La tête renversée en arrière, il les passait un à un en revue, progressant lentement, se livrant à un examen minutieux comme s'il s'agissait pour lui, à travers cet inventaire, de découvrir et de ramener les cendres napoléoniennes de son père. Cette position incommode lui donna bientôt le tournis, il baissa la tête, passa une main dans ses cheveux blancs, sortit machinalement le tube de Véganine de sa poche et, tout en avalant un comprimé, revint s'accouder à la balustrade où il noya sa déception dans la contemplation douloureuse du tombeau.

Le soir, comme nous dînions dans une brasserie proche de l'hôtel (où nous prîmes quatre jours de suite le même menu, ce qui nous valut dès le second soir un « Comme d'habitude » complice du serveur qui nous lia pendant tout notre séjour au point de ne pouvoir modifier la formule des plats), il eut un malaise. Depuis le début du repas, il gardait le silence. L'épisode des Invalides l'avait visiblement fatigué. Il y avait eu devant les guichets cette longue attente dans la file où, debout sous la pluie dans son costume gris, le col de sa veste dérisoirement relevé pour tenter de se protéger, abritant au creux de sa main la flamme de son briquet quand il allumait ses cigarettes, il n'avait pas voulu qu'on le relaye pour nous permettre de rester sous un porche. Et puis la recherche vaine du drapeau de son père. De retour à l'hôtel, il avait demandé à se reposer un peu avant d'aller dîner.

Son silence pendant le repas n'était pas du genre qu'on s'autorise à rompre. On le mettait sur le compte de sa déception. On échangeait quelques mots sans lui, quand soudain sa fourchette se figea au-dessus de son assiette. Il eut une expression de stupeur, son visage se crispa, « Joseph, qu'est-ce que tu as ? » Le temps que le serveur se précipite vers notre table sous le regard des autres convives, il reposait lentement sa fourchette sur le bord de son assiette, portait une main à sa poitrine et respirait profondément. « Ce n'est rien, juste un étourdissement. »

Maintenant, vous êtes un lendemain de Noël. Une échelle est appuyée sur le bord du toit de la remise sous laquelle sèche le linge. Grimpé sur les plaques de tôle ondulée, veillant à poser les pieds à l'emplacement des chevrons afin de ne pas passer au travers, votre père élague les branches du prunier voisin prises dans les fils téléphoniques. Le vent agite la couronne dénudée de l'arbre. Celui qui veille au grain dégage un espace libre autour des fils que la tempête qui s'annonce risquerait plus facilement d'arracher. Quand il redescend du toit, s'accrochant avec une prudence excessive à l'échelle, il dit ne pas se sentir bien. Ce qui vous étonne un peu, car l'effort fourni n'a pour lui rien de considérable. Comparé à sa grande entreprise de rénovation de la maison et du jardin, cet élagage se range parmi les petits travaux d'entretien. Vous l'avez vu déplacer des montagnes, du moins des morceaux, qu'il stocke dans le fond du jardin, ce n'est pas quelques coups de scie qui suffiraient à l'épuiser. Il ne faut pas non plus accuser la fatigue de l'âge : il n'a, somme toute, que quarante et un ans, même si, avec ses cheveux prématurément blanchis et du seul fait qu'il est votre père, vous ne le voyez pas comme un homme jeune.

Depuis quelque temps, cependant, vous savez qu'il souffre, se gavant de comprimés pour atténuer la douleur. Ce n'est pas faute d'avoir consulté. Des médecins, il en a vu à ne plus savoir où donner de la tête, au point qu'en désespoir de cause il a pris rendez-vous pour le lendemain chez un rebouteux. Vous le découvrirez avec stupeur bien des années après, en feuilletant son agenda. Ce qui vous laisse, cette trace écrite posthume, l'impression étrange que le lendemain de sa mort il était encore en vie, et que sa vraie disparition date du premier feuillet vierge de son carnet. Vous ne pouvez vous empêcher de penser que ce guérisseur de campagne avec des méthodes empiriques l'eût peut-être sauvé.

Les plus éminents spécialistes ont déclaré, radiographies à l'appui, que ses douleurs du dos provenaient d'un écrasement des disques vertébraux. On lui recommande en conséquence de ne plus porter de choses lourdes. Pour les valises, il lui est difficile de faire autrement. Cela reviendrait à ne plus exercer son métier, d'ailleurs il y songe, mais il a remis à plus tard l'aménagement du jardin, pour lequel il a collecté ces pierres remarquables qui disparaissent maintenant sous les hautes herbes. Elles attendront que son dos le laisse en paix.

Dans cet espoir, il exécute chaque matin, scrupuleusement, ce qui l'oblige à se lever un quart d'heure plus tôt, de longues suites de mouvements qu'il a répétés chez le spécialiste et notés pour s'en souvenir. Allongé sur la descente de lit, son carnet ouvert à ses côtés, il s'astreint à des séries de ciseaux, de flexions du buste où, jambes tendues, il doit toucher du bout des doigts la pointe de ses pieds, en quoi sa haute taille et ses bras courts ne lui facilitent pas la tâche (toutes ses manches de chemise sont raccourcies par un pli à hauteur du biceps), autant d'exercices qui le laissent sur les genoux et dont il doute qu'ils lui rendront ses disques vertébraux usés. Du moins, si aucune amélioration n'intervient, ce ne sera pas de son fait.

La souffrance l'isole. Le dimanche, il n'est plus question de promenades en famille. Le matin de son jour de repos, il paresse au lit et, quand il se lève, c'est, après sa séance de gymnastique, pour écouter, la tête dans les mains, les mêmes disques qu'il se passe depuis des mois. Le tourne-disque est bien sûr de sa fabrication : il s'est contenté d'acheter un bloc-moteur et une platine, confectionnant le boîtier en contreplaqué qu'il a habillé d'un plastique adhésif vert imitation cuir à l'extérieur, gris imitation marbre à l'intérieur. C'est la radio qui fournit le haut-parleur. Il remet inlassablement son groupe favori, genre Petits chanteurs à la croix de bois, version adulte, mais en moins nombreux cependant, c'est-à-dire un soliste au timbre précieux, appliqué, qui ne donne jamais la sensation de forcer dans les aigus, et huit choristes qui interviennent principalement à l'heure du refrain pour faire les cloches ou quelque chose de cet ordre. Il faut sans doute y voir son goût pour la camaraderie et la solidarité de groupe. Equipe de football, troupe de théâtre, réunion des « Quarante ans », cela finit toujours par des chansons. Peut-être à son insu s'identifie-t-il au chanteur leader ? « Joseph, si vous l'aviez vu sur scène, il aurait tout aussi bien pu faire acteur » : de quelle quantité de regrets se teinte sa rêverie ?

Il est seul dans un coin de cuisine à écouter ses disques. Il a posé une chaise près de l'appareil, cigarettes, briquet et cendrier à portée de main sur une tablette. Quand une chanson lui plaît particulièrement, il la repasse aussitôt, décollant le bras du microsillon et le replaçant au début avec précaution afin de ne pas rayer le disque. La sonnerie de la porte d'entrée du magasin, accrochée juste au-dessus du tourne-disque, ajoute aux chœurs une note stridente. Il retarde de plus en plus le moment de se rendre à l'église, alors que le carillon appelant à la messe de onze heures a sonné depuis longtemps. Ce peu d'empressement a peut-être des raisons plus profondes. Il a récemment confié ses doutes au curé Bideau, qui, loin de ses prônes menaçants, lui a raconté que même les plus grands mystiques avaient éprouvé ces tourments de la nuit de l'esprit. La compagnie est flatteuse, mais, pour la seule foi qui tienne, celle du charbonnier, elle n'est pas d'un grand secours. Et, comme une illustration de cette fêlure, Bideau arrivera trop tard pour les derniers sacrements.

Sitôt après avoir rangé l'échelle et la scie, et porté les branches élaguées dans son atelier avec l'intention de les débiter plus tard, il a annoncé qu'il montait s'allonger. Le fait est si inhabituel en milieu d'après-midi qu'on vous demande de faire moins de bruit, « Votre père est fatigué » et la cuisine où vous jouez est située juste au-dessous de sa chambre. Alors vous dessinez sur un coin de la table ou entamez une partie de cartes en silence. Vous ne vous doutez pas cependant que c'est une sorte de veillée qui commence. Le jour du premier de l'an, Mathilde, la mère du cousin Rémi – ils vivent ensemble dans la maison mitoyenne –, avouera un peu honteuse, presque en s'excusant, comme pour apporter un élément à l'impensable, qu'elle avait mis cette indisposition sur le compte des chocolats de la veille.

Le soir, à l'heure du dîner, il ne descend pas et reste alité. Il avale sans doute le potage qu'on lui monte, ou peut-être a-t-il manifesté le désir de ne rien prendre. Auquel cas vous le laissez se reposer. Vous ne le revoyez qu'au moment où vous-même montez vous coucher. Il doit être autour de dix heures et, timidement, vous entrez dans sa chambre l'embrasser. Vous ne notez rien de particulier : il s'agit de votre père en pyjama, le dos maintenu par l'oreiller, lisant dans le cône de lumière de sa lampe de chevet. L'image est familière, au nom de quoi penseriez-vous à vous alarmer ? Comme le lendemain 27 décembre est la Saint-Jean l'Evangéliste, il n'oublie pas en vous embrassant de vous souhaiter votre fête. Il vous fait un peu peur, cet homme, bien qu'il n'ait jamais porté la main sur vous, mais son autorité en impose et vous cloue souvent le bec, alors quelle tête ferez-vous quand vous apprendrez, des années plus tard, qu'il vous a donné ce prénom-là, fêté à cette date-là, parce que c'est celui que portait le disciple bien-aimé ? D'ailleurs, vous y tenez vous aussi, qui à chaque fois ne manquez pas de vous récrier quand on le confond avec l'autre Jean, celui du 24 juin, le Baptiste, le décolleté. Beaucoup plus tard encore il vous viendra à l'esprit que c'est aussi celui-là, le préféré, qui a rendu compte : « C'est ce disciple qui témoigne au sujet de ces choses et qui les a écrites. »

Il vous arrivera quelquefois de raconter que les derniers mots qu'il vous adresse furent pour vous souhaiter votre fête. Non par goût d'arranger la vérité (« Nous savons que son témoignage est vrai »), mais parce que cela fait une fin à laquelle la coda n'ajoute pas grand-chose, laquelle consiste, à la demande de votre mère sans doute, à lui apporter son briquet. A moins que ce ne soit de votre propre initiative. Car ce père épisodique que vous ne savez trop comment aborder, il vous arrive d'espérer par de tels gestes gagner sa faveur. Vous retournez donc dans sa chambre, timidement toujours, et ce n'est pas la maladie qui vous fait agir ainsi : cette prudence attisée par la crainte qu'il vous inspire ne facilite pas les élans.

Vous déposez le briquet sur la table de nuit en quête d'un satisfecit, de ce sourire dont vous voyez bien, maintenant que vous le traquez sur les photos, qu'il était empreint de gentillesse. Il ne vous vient pas à l'idée que le fait qu'il n'ait pas fumé depuis le milieu de l'après-midi pourrait être interprété comme un signe inquiétant. D'ailleurs, il a plusieurs fois manifesté son intention d'arrêter. Sur le conseil du médecin ? Ce serait dommage pour le briquet, cadeau de ses quarante ans, un briquet tout en inox poli, doté d'une petite molette latérale et, en sa partie supérieure, d'un bouton qui, pressé, libère le gaz – une double manipulation simultanée qui nécessite pour vous l'usage des deux mains. Votre père a eu beau vous en expliquer le fonctionnement en vous aidant à placer correctement le pouce et l'index, votre main moulée dans la sienne, le briquet fait partie de ces objets-Rubicon qui délimitent le territoire de l'enfance.

Il vous remercie. Cette fois, ce sont ses dernières paroles. De lui vous n'entendrez plus qu'un râle douloureux s'amenuisant au fil des minutes quand, allongé sur le sol de la salle de bains, il entrera en agonie.

Vous regagnez votre chambre. Vous vous glissez sous les deux couvertures et le volumineux édredon gonflé de plumes d'oie, tout en repoussant des pieds au fond du lit la bouillotte de caoutchouc brûlante qui, enveloppée dans un sac en pilou et placée là avant l'heure du coucher, a chauffé les draps en vous attendant. Dehors, le vent tourne à la tempête et fait grincer l'enseigne métallique du magasin ainsi que le panneau publicitaire de la station-service voisine, suspendu par des chaînes à la crosse d'un mât. A ces gémissements se mêle le claquement des ardoises arrachées des toitures qui s'écrasent au sol. Ou bien c'est un objet inconnu qui dévale le bourg sous la poussée du vent, ou un volet qui bat, un banc qui se renverse, un pot de fleurs qui se lance sans filet d'un premier étage. L'Atlantique est coutumier de ces sautes d'humeur qui bercent plutôt qu'elles ne perturbent votre sommeil.

Bien à l'abri, bien au chaud, vous lisez « Le colonel Chabert ». Vu la couverture illustrée d'un cavalier de Géricault, il s'agit sans doute d'une version abrégée pour la jeunesse, mais, quand vous douterez d'avoir été un lecteur précoce, vous vous rappellerez qu'une raison plus impérieuse que l'ennui vous fit interrompre, le lendemain de Noël de vos onze ans, la lecture d'un roman de Balzac. Dans la chambre contiguë dont la porte de communication reste en permanence ouverte afin d'assurer une meilleure circulation de la chaleur, vos sœurs lisent aussi. Le bavardage du coucher a cessé, remplacé par le froissement des pages que l'on tourne en prélude au sommeil. Soudain, couvrant le vacarme de la tempête, un bruit sourd, provenant cette fois de la maison, vous tire de votre lecture, comme la chute d'un corps lourd, suivi aussitôt d'un cri d'effroi de votre mère. Vous vous précipitez hors du lit en direction de la salle de bains. Au moment d'en pousser la porte, un obstacle vous empêche de l'ouvrir, vous insistez, mais votre mère vous demande presque en hurlant de faire le tour. Vous passez par la chambre éclairée par les seules lampes de chevet qui la laissent au trois quarts dans la pénombre. Le grand lit est vide, les couvertures repoussées. C'est dans la salle de bains attenante, à la lumière crue d'un néon, que vous découvrez votre père gisant sur le dos à même le linoléum gris, les yeux clos, la bouche ouverte, ses jambes bloquant la porte donnant accès au couloir. Il respire violemment, un souffle rauque, comme si la gorge était obstruée. Penchée au-dessus du grand corps agonisant, votre mère l'agrippe aux épaules, tente de le redresser, puis prend entre ses mains le visage inerte. Il s'est senti mal – il faut appeler d'urgence le médecin – il a voulu se lever – elle a vu dans le miroir du lavabo son visage subitement se crisper et, au moment où elle allait se porter vers lui, le corps qui bascule en arrière. La chute, le sol qui vibre, le médecin, appelez vite, en tombant sa tête a heurté le mur.

C'est Nine, l'aînée, qui se charge de téléphoner. En vain. Il semble que la ligne est en dérangement. La tempête. Votre mère tambourine alors contre la cloison de votre chambre en appelant au secours votre cousin Rémi qui dort de l'autre côté. Elle crie et pleure tout en martelant le mur de ses poings. Rémi entend et ouvre sa fenêtre. Après un échange affolé dans le vent qui emporte les voix, Mathilde, qui l'a rejoint et dont on aperçoit en se penchant les cheveux blancs pris dans un filet de nuit, annonce qu'elle court chercher le docteur Maubrilland. Emmitouflée dans sa robe de chambre, une veste de Rémi jetée sur les épaules – dans sa hâte, elle a pris ce qui lui tombait sous la main –, la tête couverte d'un fichu solidement noué sous le menton, elle se lance dans la bourrasque au milieu des ardoises qui volent avant d'éclater sur la chaussée, courbée contre le vent, les pans de sa robe de chambre s'écartant comme les ailes d'un homme-oiseau. Pendant ce temps, Rémi court prévenir la tante Marie dans sa maison de poupée, c'est-à-dire qu'il court avec ses moyens, traînant sa jambe claudiquante qu'il semble à chaque pas retirer d'un sol mouvant. Ils arrivent bientôt tous les deux du jardin, la tante en tête, de sa petite allure pressée, son manteau noir enfilé sur sa chemise de nuit, et à peine ont-ils franchi la porte que le pays subitement se trouve plongé dans l'obscurité. Rémi a sur lui son briquet-tempête avec lequel il se chauffe régulièrement le bout du nez quand il rallume pour la vingtième fois sa cigarette à papier maïs. De sa belle voix forte qui lui vaut d'être le chantre attitré des grandes cérémonies liturgiques, il prévient la maisonnée de ne pas s'inquiéter, qu'il sait où sont rangées les lampes à pétrole. Il sait mais d'une manière imprécise, semble-t-il, à en juger par le remue-ménage dans le placard. Il réclame à Marie une chaise pour atteindre l'étagère du haut, lui demande de se dépêcher, parce qu'avec son briquet chalumeau il est en train de se brûler. Petite dispute exaspérée à mi-voix. Bientôt la cage d'escalier s'éclaire d'une lueur montante. Votre mère se porte au-devant du sauveur. Dans le halo de sa lampe, Rémi découvre le pauvre visage effaré et, d'un geste tendre, plein de compassion, pose sa main libre sur l'épaule de l'imminente jeune veuve : « Le docteur ne va pas tarder », dit-il.

Il va tarder. Privée de sonnette, Mathilde lance des gravillons dans les fenêtres du médecin qui n'entend pas puisqu'il dort côté jardin. Ou ne veut pas entendre. Vous le suspecterez longtemps d'avoir fait la sourde oreille quand pour sa défense il prétextera avoir attribué à la tempête le mitraillage de ses vitres. En l'attendant, Rémi a placé une lampe à pétrole sur un meuble de rangement de la salle de bains, au plus près du corps dont le râle s'amenuise maintenant. Votre tante Marie vous entraîne tous les trois dans la plus grande des deux chambres donnant sur la rue. Les livres de vos sœurs sont encore ouverts sur le lit à la page fatidique. La maigre flamme de la bougie, plantée dans son bougeoir de céramique rouge sur la table de chevet, maintient dans l'ombre la structure complexe des tuyaux du poêle composant l'ingénieux système de chauffage paternel. Alors qu'elle se dirige vers la fenêtre pour guetter l'arrivée de Mathilde, la petite tante est toute surprise de heurter violemment du front un tuyau à l'oblique, tant sa taille de poche l'a peu habituée à se baisser. A demi assommée, elle marmonne « Joseph », sans que vous sachiez si elle maugrée contre ses talents d'inventeur ou si elle l'appelle à son secours. Joseph l'entendrait-il qu'il lui reste tout juste assez de souffle pour imprimer un disque de buée sur le miroir présenté devant sa bouche. Après s'être assurée que le grand ensemble tubulaire ne risque pas de s'effondrer, elle distribue à chacun de vous, tout en se massant le front, un chapelet. Les siens – elle en a plein les poches, qui s'entortillent dans ses mouchoirs – sont d'un modèle austère : grains noirs et maillons argentés. Elle considère d'un mauvais œil que vous vous serriez tous les trois dans le même lit quand elle se laisse tomber à genoux sur la descente de lit dans un craquement de rotules, bras en croix, tête levée vers le ciel (c'est-à-dire le plafond), paupières baissées, avant d'entamer avec votre concours une sorte de marathon de prières : « Notre Père qui êtes aux cieux que votre nom soit sanctifié », suivi de dix « Je vous salue Marie pleine de grâces le Seigneur est avec vous », puis retour au Notre Père suivi à nouveau de dix Ave (ce qui donne une place dix fois plus importante à la femme), le rythme s'accélérant à mesure qu'elle égrène en boucle son chapelet, si bien que vous vous emmêlez dans votre comptage personnel, ce qui vous vaut de sa part une remarque agacée quand vous récitez à contretemps un Ave à la place d'un Pater.

Du couloir vous parviennent des bruits de pas, une agitation que vous attribuez enfin à l'arrivée du médecin. Mathilde passe une tête par la porte pour en donner confirmation. Du coup, la petite tante augmente la cadence, comme si elle choisissait d'unir ses forces à celles de l'homme de l'art pour livrer l'ultime bataille. Elle invite Mathilde à se joindre à votre groupe, puis Rémi qui vient prendre de vos nouvelles, lesquels estiment qu'ils seront plus utiles auprès de votre mère. Mais c'est le genre d'argument raisonnable qui ne suffit pas à convaincre votre Marie. Elle est tellement persuadée du pouvoir de la prière qu'elle les rendrait presque responsables tous les deux si d'aventure l'histoire se terminait mal. Alors, pour compenser l'effet désastreux de cette dérobade, elle élève le ton et bientôt vous recueillez les fruits de cette intense activité spirituelle : la lumière revient. Vous laissez cependant la bougie allumée, dans la crainte d'une prochaine coupure, même si au-dehors il semble que la tempête se calme. Encouragée par cette première victoire, la petite tante met les bouchées doubles et cette fois vous perdez définitivement pied, incapable de soutenir l'allure de derviche tourneur qu'elle imprime à son chapelet. Vous la laissez seule dans son invocation au long cours, portée par la puissance divine et l'espérance du salut. Bien que son petit visage chiffonné dépasse à peine du sommier haut sur pieds, elle vous paraît léviter, au point que vous vérifiez d'un coup d'œil que ses genoux n'ont pas quitté le sol. Bercé par le rythme lancinant de la prière, peu à peu le sommeil vous gagne. Vous ne sauriez dire combien de temps a passé depuis la chute tragique, quand quelqu'un, vous avez oublié qui, pousse la porte de la chambre et, après un silence, annonce simplement : c'est fini.

L'expression est vague et pourrait s'adapter à mille situations. Pourtant, spontanément, vous comprenez qu'en ce vingt-six décembre mille neuf cent soixante-trois, à l'âge de quarante et un ans, votre père vient de mourir.

II

Il était certainement de ceux qui avaient le moins à perdre, sinon la vie, mais y tenait-il vraiment quand on se souvenait de la Toussaint 41 et du grand jeune homme triste en manteau de deuil penché au-dessus de la tombe des siens, incapable de s'arracher au pouvoir d'aimantation de la dalle de granit sur laquelle étaient gravées, de part et d'autre de la croix couchée, avec le nom de ses parents, les dates couperets de sa récente infortune. Quinze mois s'étaient écoulés depuis, où il avait appris à vivre seul avec ses ombres, et un matin de février, jour anniversaire de ses vingt et un ans, il recevait une convocation de la préfecture de Nantes l'informant qu'une commission déclarée compétente l'avait désigné pour le travail obligatoire en Allemagne. La mesure était récente. Il était dans les tout premiers à en bénéficier. Leurs usines manquant de bras, appelés à colmater les brèches sur tous les fronts, les autorités allemandes avaient invité le gouvernement de Vichy à « recenser les Français sans emploi utile aux besoins du pays ». Ladite commission avait jugé que le grand jeune homme triste répondait à la définition, qui avait repris sans entrain, parce que l'époque n'avait pas grand-chose à offrir et qu'il faut vivre, le petit commerce hérité de ses parents, dont la commune à coup sûr pouvait se passer.

Comme pour un trousseau de collégien, la lettre précisait ce qu'il lui fallait emporter : des vêtements chauds, des chaussures « de fatigue et de sortie », des provisions de voyage pour deux jours, ainsi que trois photographies pour l'établissement d'un passeport. Il y ajouta autant de livres que pouvait en contenir sa valise, et parmi eux « Les trois mousquetaires » dont il avait réalisé au cours de cette année sombre l'adaptation théâtrale. Une adaptation très libre, à l'image des pièces tirées de romans populaires à succès que la petite troupe d'amis s'amusait à monter depuis quelques années : « Les mystères de Paris », « Le bossu », « Le comte de Monte-Cristo », et un inoubliable (pour ceux qui l'avaient vu et en parlaient encore) pastiche de Jules Verne intitulé « Le tour de la scène en quatre-vingt minutes », avec toute une machinerie complexe – nacelle s'élevant dans les cintres, tapis volant, trappes, escamotages, apparitions, toiles peintes –, ainsi qu'un éléphant en carton et un dromadaire vivant que la bande d'amis avait été chercher à La Baule où, l'été, il promenait petits et grands sur la longue plage de sable fin et, le reste de l'année, végétait dans un garage, le ramenant triomphalement à pied, la foule qui se pressait le soir de la représentation lui réservant un accueil de star que le grand dromadaire blasé considéra d'une moue dédaigneuse.

Quand il leur avait fait part de son intention de

monter l'œuvre de Dumas, ses amis avaient pensé qu'il s'attribuerait le rôle de d'Artagnan ou, au moins, d'un des trois mousquetaires, mais il leur annonça qu'avec leur accord il jouerait Planchet, le valet, dont il voulait faire un élément comique de la pièce. Le projet était bien avancé, les répétitions dans la salle paroissiale touchaient à leur fin et la date de la première (qui ne devait être suivie que d'une seconde, à la rigueur d'une troisième) était fixée. Ce départ pour l'Allemagne constituait un fâcheux contretemps, mais comment s'y dérober quand la missive prévoyait, en cas de défection, d'évasives mesures de représailles que les fusillés de Chateaubriant commandaient de prendre au sérieux. Sa famille se réduisait à deux personnes maintenant. Le cousin Rémi, avec sa jambe traînante, ne craignait pas grand-chose, qui plus est pupille de la nation, mais il y avait aussi la tante Marie, sa compagne de chagrin, qui, portant le deuil depuis vingt-cinq ans, n'avait pas eu à modifier sa pauvre garde-robe à l'occasion de la mort de son dernier frère, le seul des trois à être revenu vivant de la tourmente de Quatorze et qui là, quelques mois après la disparition de sa femme, avait jeté définitivement les armes en se laissant emporter par la douleur.

Et maintenant on lui enlevait son neveu. Et tandis qu'elle l'assiste dans ses préparatifs de départ, elle s'étonne qu'au lieu de rendre ses tickets de rationnement comme l'exigeait la lettre, il les glisse dans la doublure de sa veste. Mais pour toute réponse il se contente de lui donner ses dernières directives concernant la maison (qu'elle l'occupe), le magasin (qu'elle l'ouvre à ses heures perdues, dans la mesure où sa classe le lui permettra, jusqu'à l'épuisement des stocks) et le théâtre. Car il l'a tout de suite enrôlée dans la petite troupe et, flattée qu'il ait besoin d'elle, elle s'est laissée faire. Non pour jouer les duègnes. Sa place, elle l'a trouvée au ras des planches, dans la cage du souffleur. Après leur journée de travail, les apprentis comédiens, artisans bouchers, charcutiers, cordonniers, menuisiers, couvreurs, plombiers, épiciers, ont parfois un peu de mal à apprendre et à retenir leur texte. Bien sûr, la distribution des rôles s'efforce de s'ajuster aux talents de chacun, mais entre celui qui se prend pour Jules Berry et réinvente ses répliques et l'autre qui ânonne ses bribes de dialogue, elle est la coordinatrice indispensable qui évite les dérives, remet les égarés sur le droit chemin de la ligne et tance de son ton d'institutrice agacée les mauvais élèves oublieux de leurs leçons. Pour être passées dans sa classe et se souvenir de ses colères, les quelques comédiennes occasionnelles connaissent leur rôle sur le bout des doigts, bien mieux que les garçons, ce qui la conforte dans l'excellence de sa méthode et l'autorise à lancer son petit couplet féministe avant l'heure, mille fois exprimé, sur le sérieux des filles et leur plus grande maturité, couplet qui pouvait aussi s'entendre comme une défense et illustration de son célibat.

Le soir de la première, elle était à son poste sous sa guérite basse, arrivée bien avant tout le monde dans le théâtre, d'autant plus soucieuse de la bonne marche du spectacle que Joseph lui en avait confié les rênes. Elle avait mené les ultimes répétitions en gardienne du temple, coupant court aux velléités autonomistes du Jules Berry de village et engageant le reste de la troupe à respecter l'esprit et la lettre du travail de son neveu. Sur ses recommandations, faute d'un remplaçant de dernière minute à la hauteur, elle avait fait de Planchet une sorte de demeuré muet, confiant le rôle au jardinier de l'école des filles, lequel s'était moulé sans mal dans sa nouvelle fonction, s'exprimant naturellement par borborygmes, au point qu'elle lui servait d'interprète auprès de ses camarades de scène. Elle lui avait expliqué qu'il n'aurait qu'à suivre d'Artagnan comme son ombre quand on le lui demanderait et de répondre par un grognement à ses questions. Avait-il compris ? Il grogna. Il venait de passer brillamment son audition.

La salle était comble. On remarquait dans l'assistance quelques uniformes allemands. Ils étaient arrivés un dimanche ensoleillé de juin 40, à la sortie de la messe de onze heures. Les fidèles discutaient sur le parvis de l'avancée ennemie – certains avaient de bonnes nouvelles : on les avait arrêtés à Saumur – quand deux motos pétaradantes remontèrent le bourg à vive allure et effectuèrent sur la place un dérapage parfaitement contrôlé qui les mit face à l'entrée principale de l'église. A voir leur accoutrement, comme si l'on avait plongé l'ensemble moto-motocycliste dans une sauce vert-de-gris, même les moins avisés comprirent que le bouchon de Saumur avait sauté. Et, tandis que l'homme du side-car, casqué, lunetté, tenait en joue les paroissiens avec sa mitraillette, on entendit Maryvonne soupirer : « C'est complet », ce qui par la suite fut salué unanimement comme le premier acte de résistance à Random.

Le second fut à mettre à l'actif du garde champêtre, qui, chaque dimanche à cette heure, rameutait la population en battant du tambour avant de lire à haute voix les derniers avis relatifs à la vie de la commune. Cette arrivée impromptue au moment de son entrée en scène risquait de gâcher son petit numéro dominical, d'autant que les motards avaient été entre-temps rejoints par une cohorte de voitures et de camions bâchés, bourrés d'hommes en armes qui avaient investi toute la place. Son tambour en bandoulière, il s'avança vers l'officier qui commandait le détachement, claqua des talons – ce qui ne fit pas grand bruit comparé à l'écho des bottes allemandes – et, main au képi, fit part de ses doléances. En tant qu'officier lui-même, certes municipal mais assermenté, il se devait d'informer les citoyens des derniers arrêtés communaux. Quoi ? Qu'avait-il dit de si drôle ? Il avait suffi de quelques mots lâchés en allemand par son interlocuteur pour mettre instantanément l'ensemble de la soldatesque en joie. Du côté des autochtones, on ne trouvait pas là motif à se dérider. Correct, l'occupant ? Sans-gêne (il prétendait même s'inviter chez l'habitant) et faisant preuve d'un évident manque de tact. L'humiliation était à son comble. C'est alors qu'on vit le garde champêtre décrocher les baguettes de la sangle qui lui barrait en diagonale la poitrine, les placer correctement dans ses mains (prise différente selon la main droite ou la main gauche) et, tout en revenant sur ses pas, discrètement, comme un galop d'entraînement, une répétition à la sauvette : ta tataratata, un court message rythmique censé traduire, selon la version qu'il en donna par la suite, le « Tiens voilà du boudin » de la rude langue des légionnaires, mais que d'autres, pour se dédouaner de n'en mener pas large peut-être, attribuèrent plus mesquinement au tremblement de ses mains.

Quand le lourd rideau rouge s'ouvrit après qu'on eut frappé les trois coups, il était là au milieu de la scène avec son tambour vengeur. Seul l'uniforme avait changé qui transportait les spectateurs plus de trois siècles en arrière, au temps des chats de Richelieu. Toutes les petites mains de Random avaient donné de leur temps et de leur talent, dépouillé les greniers, récupéré les tapisseries des chaises remisées et les dentelles des vieilles robes démodées, pour qu'à cette reconstitution il ne manquât pas l'illusion d'un velours ou d'une guipure. Derrière le garde champêtre transformé en héraut avec ses bottes à larges revers en carton et son feutre de chasse cabossé orné de plumes de coq, une toile peinte dans les ocres et les roses représentait un semblant de place des Vosges en trompe-l'œil, du moins pour les vues basses. Au fronton d'un porche, maintenu par deux filins tombant des cintres, un panneau de gare indiquait : « Meung-sur-Loire », qu'il suffisait de modifier en fonction des changements de lieu, ce qui, compte tenu de la complexité géographique du récit, aidait à circuler à l'intérieur des tableaux – le décor de la place rebaptisée valant pour toutes les places. Le mobilier était sommaire : côté cour, un abreuvoir à chevaux, côté jardin, une table d'auberge encadrée de bancs de bois et surmontée d'une enseigne en simili-ferronnerie : « Hôtel du Franc Meunier ». Déjà les avis divergeaient dans la salle, d'où s'élevait une sombre rumeur. Fallait-il voir dans ce « Franc » la revendication d'une identité française au nez et à la barbe de l'occupant, et, dans ce « Meunier », que le pays avait été roulé dans la farine ? Bientôt, sur la foi de quelques érudits locaux, la réponse circulait dans les travées : non, non, c'est bien dans le roman. D'ailleurs, le garde champêtre de Louis XIII, après avoir battu le tambour et s'être essayé à des roulements inédits, sortait de sa gibecière un rouleau de papier, dénouait la faveur rouge qui l'enrubannait et en entamait la lecture à bout de bras : « Oyez, oyez, avisse à la population, toute ressemblance avec des faits réels et des personnages existants ou ayant existé ne serait nullement imputable aux adaptateurs de cette pièce historique, mais aux faits réels et aux personnages existants ou ayant existé. » Suivait une courte introduction évoquant le départ du jeune d'Artagnan de la maison familiale, muni de la lettre de recommandation de son père pour monsieur de Tréville, capitaine des mousquetaires du roi. « Et maintenant, que le spectacle commence. » Le garde champêtre avait imaginé de ponctuer son numéro en faisant virevolter ses baguettes au bout des doigts, mais, à la dernière répétition, l'une d'elles ayant atterri dans la cage du souffleur, la petite tante, à deux doigts d'être éborgnée, avait décidé qu'on en resterait là.

Deux épais dictionnaires glissés entre elle et le banc suffisaient à peine à hisser son regard à hauteur des planches. Ses mains agrippant le rebord du plateau, les feuillets dactylographiés par son neveu étalés sous son nez, elle accompagnait d'un mouvement des lèvres le dialogue des comédiens. Quand la mémoire de l'un d'eux faisait défaut, elle haussait le ton, avec cette façon bien à elle – héritée d'une abondante pratique de la prière et de la fréquentation de l'église – de parler fort à voix basse, si bien qu'on l'entendait parfois de la salle, à qui il arrivait de reprendre en chœur une réplique à l'unisson du comédien.

Ils étaient trois à présent à occuper la scène. L'apprenti mousquetaire ferraillait avec un gentilhomme sous le regard d'une jolie blonde. Comme les épées étaient en bois, le metteur en scène avait demandé à son camarade André d'aiguiser en coulisses, l'un contre l'autre, deux grands couteaux de boucher. D'une parfaite synchronisation dépendait la réussite du bruitage. Il avait été convenu d'échanger trente coups. Afin de ne pas rater son effet, le jeune homme aux mains tremblantes qui abusait déjà du vin avait demandé à la tante de l'accompagner dans son décompte. Elle redoutait un trente et unième coup qui eût ruiné la scène mais ne vint pas. Tout eût été pour le mieux si André, qui jouait l'aubergiste, n'avait fait son entrée sur le plateau ses couteaux à la main – ce qui mit l'assistance en joie.

La robe verte de Milady n'était pas garantie d'époque, en dépit de ses brocarts et de ses dentelles, mais la jeune poitrine palpitante qui gonflait le décolleté avait un caractère universel. Ce qui n'échappait pas à ses partenaires. Du fond de sa cage, la petite tante veillait au grain en jetant de temps à autre un coup d'œil par-dessus ses verres. Quand le gentilhomme-menuisier serrait d'un peu trop près la gracieuse jeune femme, elle remettait discrètement de l'ordre en tapant de son crayon sur les planches. Parmi les recommandations du départ il n'y avait fait aucune allusion, mais elle n'ignorait pas que la belle Milady était l'officieuse fiancée de son neveu.

Elle venait d'une commune voisine. Une noce les avait réunis. Ces cortèges sont dans le monde rural la plus efficace des agences matrimoniales. Les deux partis veillent à appareiller au mieux les couples. Ceux-là avaient pensé que le grand jeune homme triste au deuil récent trouverait dans le beau soleil radieux à son bras une douce consolation. Du moins avait-il trouvé en Emilienne sa Milady.

Comme la jeune starlette n'avait aucune expérience de la scène, l'occasion se présenta pour elle de faire un bout d'essai dans une Passion que montait le vicaire de Random. C'était un exercice particulier, plus proche de la lecture pascale que du théâtre proprement dit, mais qui avait l'avantage de divertir les bonnes âmes tout en leur offrant un spectacle édifiant. Le projet se heurtait cependant à un veto de l'évêque de Nantes, qui interdisait les représentations mixtes depuis que dans une commune du diocèse sainte Véronique avait accouché d'un enfant dont plusieurs apôtres se renvoyaient la paternité. L'affaire avait fait grand bruit auprès des bien-pensants. « Le retour de Sodome », avait titré l'éditorialiste du « Phare », avant de commencer son libelle par : « A quand une Vierge Marie grosse des œuvres de son fils ? » Le jeune vicaire, qu'effrayait davantage la perspective de faire interpréter le groupe des femmes par des travestis, monta courageusement au créneau. Il obtint rendez-vous à l'évêché et plaida sa cause. « Encore », tempêta l'évêque, se départant soudain de son onctuosité préliminaire (« Alors comme ça vous êtes à Random. Vous vous y plaisez ? Très bien, très bien », tout en enroulant l'une sur l'autre ses mains soyeuses. « Et quel bon vent vous amène ? ») « Non, non et non, vous êtes au moins le dixième à me réclamer la même chose. Pas de représentation mixte de la Passion. » Mais le jeune abbé ne s'était pas embarqué dans sa requête à la légère : « Sans doute, Monseigneur, mais avez-vous songé à l'effet désastreux sur nos fidèles, habitués aux belles madones de nos églises, d'une Vierge imparfaitement rasée, avec du poil sur les mains et chaussant du quarante-trois ? » L'argument porta et, après quelques objections vite balayées, l'évêque se rendit : « Soit, mais alors je vous accorde trois femmes seulement : la Vierge, cinquante ans à peu près, c'est-à-dire l'âge du rôle » (ce qui diminuait les risques), « Marie-Madeleine » (aucune directive, une pécheresse peut bien pécher) « et la femme de Ponce Pilate ». Le vicaire remercia chaleureusement son supérieur et, tandis qu'il baisait la pierre violette au bout du bras qu'on lui tendait, cherchait vainement à retrouver dans ses souvenirs de lectures évangéliques trace d'une quelconque épouse de Pilate. Mais c'est ainsi qu'Emilienne hérita du rôle muet né de la fantasmatique épiscopale.

Vêtue d'une longue tunique blanche ceinturée à la taille par une corde dorée, elle illumina la Passion de sa présence. Quand elle présenta un linge à son mari pour qu'il se sèche les mains, les hommes dans la salle se sentirent la paume moite. Sa blondeur et ses formes captèrent à ce point l'attention qu'il n'y eut que le vicaire pour s'arracher les cheveux lorsque le Christ en croix, au milieu des ténèbres de la scène, le visage seul éclairé par un faisceau de projecteurs, lança d'une voix pleine de conviction, comme s'il venait d'en terminer avec ses travaux des champs : « J'ai souèf. » Il est vrai qu'il n'y avait pas là de quoi choquer l'assistance habituée à parler et entendre le patois vernaculaire.

Inconnue jusqu'alors à Random, Emilienne entra dans les conversations sous le pseudonyme de « la femme de Pilate », qui lui resta. Cet apprentissage de la perfidie aux côtés du plus célèbre des pleutres hygiénistes, amplifié quelques mois plus tard par son personnage de Milady, allait, semble-t-il, décider de son destin. Jésus réincarné en d'Artagnan (dans les deux cas, le jeune agriculteur avait dû ses rôles moins à ses dons de comédien qu'à sa chevelure ondulée) avait été lui aussi touché par la grâce. Plongé dans l'abreuvoir où l'avait bousculé le gentilhomme, il adressait à celui-ci une réplique cinglante : « Monsieur, vous êtes aussi lâche que madame est belle. » Puis, se tournant vers l'accorte personne, il en restait bouche bée. « Et vice versa », souffla la tante – ce qui devait s'entendre : « Madame, vous êtes aussi belle que monsieur est lâche. » Mais le chevalier troublé ne parvenait plus à remettre de l'ordre dans ses pensées. Et, comme la belle s'impatientait : « Et vice versa », lui susurra-t-il avant de feindre de s'évanouir en rougissant.

La petite tante dut probablement lever les yeux au ciel, ce qui revenait vraiment pour elle à prendre Dieu à témoin de ses malheurs terrestres, avant de les tourner avec inquiétude vers les coulisses d'où devait surgir Planchet, qu'elle avait chargé de procéder à un double changement de panneaux : « Meung-sur-Loire » par « Paris », et « Le Franc Meunier » par « La Pomme de Pin ». Le jardinier, en dépit d'un rôle abondamment dégraissé, lui avait donné du fil à retordre au cours des ultimes répétitions. Le plus difficile avait été de l'empêcher de ponctuer ses grognements par un long crachat brun. Non qu'il souffrît d'un encombrement des bronches, mais il chiquait, recrachant sa chique, après usage, dans son béret, ce qui ne manquait pas d'intriguer les non-initiés. Maryvonne, préposée aux costumes et au maquillage (elle toujours en blouse et qui se contentait d'un peu de poudre rose sur ses joues, le dimanche), lui avait suggéré d'expectorer dans un mouchoir qu'elle broderait à son nom de scène. Une si délicate attention – il promit d'essayer.

Quand d'autres, les jours précédant une représentation, ressassent leur texte, le jardinier s'entraînait à cibler ses crachats dans un carré de toile chiffonné au creux de sa main. Aux dernières nouvelles, il visait juste, mais la petite tante, le nez au ras des planches, se tourmentait à l'idée de recevoir des embruns. Son inquiétude s'accrut encore quand elle découvrit que Planchet, qui venait d'entrer en scène, avait entre-temps grandi d'une tête. Il portait une perruque filasse, ses pommettes outrageusement rougies le faisaient ressembler à un auguste, mais cette haute taille, cette façon de contrefaire l'humble valet, gauche et servile, toujours prêt à s'incliner plus bas que terre : « Joseph, c'est toi ? » dit-elle. Et le docile Planchet reprit : « Joseph, c'est toi ? » La grande rumeur noire derrière la rampe fit soudain silence. A la voix, il n'y avait plus de doute. « Joseph, tu es fou. » Et lui : « Joseph, tu es fou. » Un « Oh » stupéfait parcourut les rangs. « Joseph, fais attention il y a des Allemands dans la salle. » Et lui, s'adressant aux spectateurs : « Des espions du cardinal, ici ? » Tous les regards se tournèrent avec inquiétude vers les soldats allemands. Mais ceux-ci, faute d'entendre la langue, ne comprenaient visiblement pas grand-chose à ce qui se passait, et la salle commença à glousser. La rumeur s'amplifia, des rires jaillirent et une vague d'applaudissements admiratifs salua l'intrépide revenant. Quelques tableaux plus loin, le théâtre chavirait. Au moment où d'Artagnan s'embarque pour l'Angleterre en quête des ferrets de la reine, on vit Planchet accourir en brandissant deux cannes à pêche. « J'emporte deux gaules », lança-t-il. Un brouhaha formidable emplit la salle et, tandis que les deux compères, juchés sur une barque de carton, traversaient la scène sur fond de mer houleuse, Planchet, en figure de proue, hissait à bout de bras ses deux cannes à pêche qui formaient sur le ciel bleu de la toile un grand V.

Ce fut un triomphe. Mais à l'heure de saluer le héros de la soirée avait de nouveau disparu. Sitôt le rideau tiré, la petite tante se précipita dans les coulisses. « Où est-il ? » demanda-t-elle à Maryvonne. « Parti », répondit l'épicière en montrant la sortie des artistes. N'avait-il rien dit ? N'avait-il pas laissé un message ? Oui, cette lettre pour Emilienne. Et pour sa tante qui était toute sa famille, qui s'occupait de ses affaires, qui avait monté sa pièce, et qui se faisait un sang d'encre pour son neveu ? Rien ?

Les jeunes gens étaient regroupés sur le quai de la gare, encadrés par les soldats, attendant le train qui les conduirait jusqu'en Allemagne. En dépit de la douceur de cette matinée bleutée de mars, tempérée par un petit vent frais prenant les rails en enfilade, ils s'étaient équipés chaudement en prévision des climats rudes qu'on leur annonçait là-bas, chacun selon sa condition, manteaux plus ou moins ajustés, plus ou moins élimés, les plus humbles empilant les vêtements sous une petite veste étriquée tirant sur les boutons. A leurs pieds, une valise contenait ce qu'on leur avait commandé d'emporter : rechanges, chaussures de « fatigue » ou de « sortie » (selon ce qu'ils avaient enfilé le matin) et des provisions de bouche pour un long voyage de deux jours. Certains s'étaient adjoint une musette d'où dépassait le col d'une bouteille de vin au bouchon à demi enfoncé – une denrée miraculeuse en ces temps difficiles. Quand ils la sortaient, avalant une rasade, les plus fanfarons lâchaient, après un rot : « Encore une que les Allemands n'auront pas », ou « Comme en quatorze, c'est le pinard qui gagnera la guerre », ce qui, étant donné les circonstances, ne prêtait que modérément à sourire. La plupart gardaient le silence, comme en ces rentrées de classe où l'on ne se connaît pas encore, où l'on se jauge du regard en quête d'un courant de sympathie. Dès qu'un sifflement lointain annonçait un train, les visages résignés se tournaient vers la grande courbe des rails d'où devait surgir le nuage de fumée de la locomotive attendue.

Celui qui dépassait tout le monde d'une tête cherchait surtout à se faire oublier. Il était à ce moment où, pour lui, tout allait se jouer. Dès réception de la lettre, il avait su qu'il ne découvrirait pas l'Allemagne de cette façon-là. Maintenant que, sa convocation dûment visée, il s'estimait en droit d'être rassuré pour sa tante, il lui fallait trouver le moyen de fausser compagnie à ses camarades. Attendrait-il d'être dans le train, de sauter en marche ? Ou parviendrait-il à s'échapper en se glissant discrètement sous les wagons ? Comme il se penchait pour jeter un coup d'œil sous la rame rangée sur l'autre voie, un soldat soupçonneux s'approcha de lui et le remit dans les rangs du canon de sa mitraillette. « Cigarette », dit-il, en montrant un mégot opportunément jeté sur le ballast, et il sauta sur la voie pour le récupérer, le fumant aussitôt avec délectation, pour preuve de sa bonne foi. Du moins avait-il vu ce qu'il voulait voir. Il était possible de se faufiler avec la valise sous un wagon pour émerger ensuite sur le quai opposé. En espérant n'y faire aucune mauvaise rencontre. Il ne lui restait plus qu'à attendre le moment propice, et il recula de quelques pas pour tenter de se fondre parmi ses compagnons d'infortune, composant avec cette peur montant en lui et répondant à un de ceux-là qui lui suggérait de filer à l'anglaise par un haussement de sourcils interrogatif.

Quand, dans un vacarme de bielles, pistons, jets de vapeur, sabots de freins, le train lentement se présenta à quai, il se produisit une cohue vers les portières en quête de places assises, après que les jeunes gens accoudés aux fenêtres et montés à Saint-Nazaire eurent annoncé qu'il n'y en aurait pas pour tout le monde. Les sentinelles occupées à rétablir la discipline par des ordres brutaux, il se laissa glisser avec sa valise entre deux wagons, passa sous le soufflet et se faufila sous l'autre rame. Allongé à plat ventre sur les traverses, il guetta de longues secondes, le cœur battant à rompre, les vociférations et l'agitation hystérique que n'eût pas manqué de provoquer la découverte de son évasion. A chaque coup de sifflet annonçant l'ébranlement d'un convoi, il empoignait plus fortement sa valise, prêt à jaillir, se reprochant de l'avoir trop chargée de livres, sans qu'un seul instant pourtant la pensée lui vînt de s'en séparer. Les minutes passant, comme l'habituelle frénésie de l'occupant ne se faisait l'écho d'aucune rumeur alarmante, il commença à ramper sur quelques mètres tout en surveillant les semelles qui battaient le quai au-dessus de lui. Plus encore qu'une paire de bottes, ce que son regard redoutait de croiser, c'était les quatre pattes d'un chien berger, dont le flair à coup sûr l'eût condamné, et les crocs déchiqueté. Mais ni bottes ni chien, que de pauvres succédanés de chaussures, vieux modèles fatigués, rafistolés, rééquipés de semelles de bois, de liège aggloméré, ou même d'un morceau de moquette, dont il pouvait voir, par la fente étroite entre le châssis du wagon et la bordure du quai, le navrant défilé. Lui, en prévision de sa cavale, avait négocié avec le facteur, qui bénéficiait d'un traitement de faveur, l'acquisition de solides souliers en cuir. Il s'était souvenu des propos d'un évadé de stalag : « Le secret d'une évasion, c'est les chaussures. »

Pour l'heure, un tablier de maréchal-ferrant eût sans doute mieux fait l'affaire, tandis qu'il progressait sous la rame, poussant devant lui sa valise qui butait contre les traverses. Une autre de ses frayeurs était que le train au-dessus de lui démarrât. Il imaginait le tragi-comique de la scène, lui à quatre pattes au milieu des rails, la reddition piteuse et ses conséquences terribles. Que ferait-il semblant de chercher ? Le coup du mégot ne marcherait pas deux fois. D'ailleurs voilà, c'en est fini de sa belle : une légère secousse, un imperceptible glissement – mais non, rien ne bouge de son abri provisoire. Il lui suffit pour se rassurer d'aligner les roues sur un point fixe : c'est, sur l'autre voie, le convoi des travailleurs obligés qui se met en branle. Et il adresse un petit sourire soulagé aux traverses et aux essieux : le train pour l'Allemagne s'éloigne sans lui.

Il est maintenant en bout de rame et se livre à plat ventre à un inventaire des lieux : fourgons en attente ou oubliés sur une voie de garage, un cheminot relevant la manette d'un aiguillage, des ouvriers devisant près d'un dépôt, une mouette contemplative perchée sur un rail, des moineaux sautillants. De ce côté-ci, la voie ferrée traverse la partie ouest de la ville. La longer, avec ce grillage bordant l'avenue, il lui serait difficile de passer inaperçu. Couper par la zone de triage et rejoindre le fleuve ? Trop d'embûches, et la quasi-certitude de tomber sur une patrouille. Attendre la nuit ? Sans une cache sûre, il ne donne pas cher de ses chances d'ici là. Reste la gare. Et il se lance à découvert, franchissant courbé les rails comme si sa haute taille était trop voyante, marquant une pause accroupi au pied de l'extrémité des quais, y risquant un regard, guettant recroquevillé l'arrivée d'un train qui lui permettrait de se mêler à la foule des voyageurs. En époussetant son manteau pour améliorer sa mise, il constate l'absence de deux boutons, dont l'un a emporté avec lui sur le ballast un morceau de tissu. Aux taches graisseuses qui refusent de partir il ajoute même un peu de sang qui, à sa grande surprise, provient de sa main. Comme il examine la blessure, des gouttes de pluie se posent sur sa paume ouverte. Il lève les yeux. Le ciel a profité de son séjour à couvert pour rameuter de lourds nuages d'eau sombre, porteurs d'un beau déluge. Le maître des éléments est bon prince : la pluie, qui diminue les ardeurs, sera une alliée précieuse. Ceux qui ont pour mission de surveiller n'y regarderont pas à deux fois, davantage préoccupés de se mettre à l'abri.

Les gouttes s'écrasent à présent de tous côtés, environnant d'un halo de vapeur la locomotive fumante qui, surgie de la grande courbe, semble chercher sa voie parmi les aiguillages avant de passer, en crachotant des étincelles, à quelques centimètres de lui. Il se hisse prestement sur le quai et recolle bientôt à un groupe de passagers. En dépit de ses craintes, il ne dépareille pas trop dans son piètre accoutrement. La guerre ne facilite pas le renouvellement des garde-robes et certains ont bien du mal à maquiller leur misère. Il s'amuse même du mince trait de pinceau sur les mollets brunis au thé des femmes pour simuler la couture d'un bas de soie imaginaire. Son inquiétude grandit pourtant quand il surprend à plusieurs reprises deux ou trois regards qui le dévisagent avec insistance, comme si sa nouvelle condition d'homme traqué avait imprimé une étoile sur son front. « C'est cuit », se dit-il, en même temps qu'un liquide glacé lui vrille le cœur. Il ralentit le pas et, pour se donner une contenance, allume une cigarette. Au moment où la flamme éclaire son visage dans la vitre réfléchissante d'un wagon, il comprend que ceux-là s'intéressaient surtout à la couche de cambouis qui lui noircit le nez. Pour un camouflage de jour, c'est réussi.

La sortie de la gare vers où se dirige le flot des voyageurs est étroitement surveillée. Devant la multiplication des attentats et des actes de sabotage, la police allemande, suppléée par la Milice de création récente et dont la rumeur rapporte qu'elle est plus redoutable encore, intensifie les contrôles avec la rage des causes perdues. Car le vent commence à tourner pour les tenants de l'ordre nouveau. Il les aperçoit barrant la sortie, méfiants, susceptibles, pointilleux, impatients, qui vérifient les papiers, ouvrent les sacs et les valises, et sur un soupçon tirent cet homme du rang, lequel jette autour de lui un regard apeuré. Obliquer vers le buffet ? Il se méfie des policiers en civil et des indicateurs faussement indifférents accoudés au bar qui abandonnent tout à coup leur verre pour vous prendre en filature. Des arrestations de ce type, les conversations à mi-voix s'en font l'écho – les plus pernicieuses, car elles touchent aussi l'ami qui héberge, quand ce n'est pas toute une filière qui tombe. Comme il avise le hall des départs, lui revient en mémoire une version latine de ses années de collège où un berger rusé subtilise des bœufs en les faisant sortir d'une caverne à reculons, ce qui provoque l'incrédulité du propriétaire, Hercule peut-être, abusé par les traces sur le sol. Mais cela implique de repasser à contresens devant la guérite du contrôleur de billets. Alors il s'en approche et, très embarrassé, faisant son Planchet, explique qu'il ne connaît pas l'horaire de sa correspondance à Angers pour Sablé avec changement à, justement il a oublié le nom : lui serait-il possible de retourner au bureau des renseignements ? « Faites vite », bougonne le préposé, vexé de n'avoir pas les réponses en tête.

Dans la salle des pas perdus, outre les voyageurs en attente, on compte nombre de passants qui, surpris par l'averse, se sont précipitamment mis au sec, encore essouflés par leur petit sprint, s'égouttant de la main les cheveux et secouant les pans de leur pardessus. D'autres, agglutinés sur le seuil de la porte, guettent l'embellie tout en se livrant à des commentaires inspirés : « Encore un coup des Anglais », hasarde l'un, tandis que la pluie s'affale avec une vigueur empressée sur les pavés.

Le grand jeune homme à la valise s'est faufilé au premier rang, sourd aux protestataires hissés sur la pointe des pieds qui surveillent les humeurs du ciel par-dessus son épaule. Le souffle humide de l'averse le fait frissonner et il resserre le col de son manteau. Le cours devant lui, un ancien bras de Loire récemment comblé pour remédier aux débordements printaniers, semble rendu à son état primitif. L'eau qui ruisselle miroite comme un grand fleuve, bouillonne dans les caniveaux, s'engouffre dans les grilles d'évacuation. Sur la ville désertée, comme suspendue à son bon vouloir, la pluie impose sa trêve. Les commentaires se font plus rares, plus laconiques, chacun s'abîme dans une contemplation douce. Une sorte de paix des cœurs s'installe. Le grand jeune homme a ôté ses lunettes et se masse la racine du nez. On le voit hésiter à les remettre, avant de les glisser dans sa poche. Qu'a-t-il besoin d'une vision claire dans cet espace brouillé ? Le flou qui l'entoure désormais semble même tenir à distance le danger, le diluer comme dans les brumes, au loin, les tours massives de la demeure d'Anne de Bretagne. Et, mettant à profit ce qui pourrait passer pour une confiance aveugle, une ultime négligence, il s'enfonce soudain sous cette chape liquide.

La pluie, bonne fille, lui permet même d'accélérer l'allure sans que sa précipitation paraisse suspecte : il n'est après tout qu'un simple piéton qui refuse de se soumettre aux diktats du ciel. A mesure que ses pas l'éloignent de la zone dangereuse, il se retient de se retourner, de céder à cette ivresse joyeuse qui submerge ses dernières réticences. Ses robustes chaussures qui se jouent des flaques d'eau lui semblent des bottes de sept lieues, la valise ne pèse plus au bout de son bras. Il aura tout le temps de lire maintenant, et ne regrette plus de l'avoir si abondamment chargée. Il jette enfin un regard derrière lui. Personne ne le suit. Et, sous la protection des puissants remparts du château des Ducs, il s'autorise sa première grande respiration d'homme libre.

Ses amis ne l'attendraient sans doute pas si tôt. Il goûtait déjà à ce moment où, après avoir frappé, on lui ouvrirait la porte et, devant ses hôtes ébahis, il dirait simplement : « J'ai manqué le train », avec un sourire malicieux, tout en réajustant les branches de ses lunettes derrière les oreilles. Son évasion, il l'avait minutieusement préparée. Il ne lui restait plus qu'à obliquer vers le port, longer le quai de la Fosse de mauvaise réputation avec ses bars à matelots installés dans les sous-sols d'hôtels particuliers aux charmes délabrés, et remonter sur la butte Sainte-Anne où habitait, au-dessus de la menuiserie paternelle, un de ses anciens camarades de collège. Du temps pas si lointain où il était pensionnaire à Chantenay, chez les frères, dans la banlieue pauvre de Nantes, à deux pas de là, il avait abondamment profité de l'hospitalité des Christophe, dont l'imposante tablée comptait pour négligeable un couvert supplémentaire. Le même toit abritait trois générations, et son condisciple Michel était l'aîné de douze enfants. Lui, le fils unique désolé, pour qui l'on dressait un lit de camp dans l'atelier, aimait à se glisser au milieu de cette turbulente compagnie sur laquelle les difficultés matérielles ne semblaient pas avoir de prise. La recette était simple à défaut d'être variée. Madame Christophe, aux formes incertaines après ses grossesses à répétition, s'entendait comme personne à décliner sur tous les tons les mérites de la pomme de terre, dont la famille se livrait à la culture intensive dans un champ à la périphérie. C'est à son intention qu'il avait refusé de rendre sa carte d'alimentation (et sa carte de tabac, mais là il pensait surtout à lui), alors que sa convocation exigeait qu'il la remît à un agent du ravitaillement général. Il offrirait à son hôtesse sa feuille semestrielle de coupons J3, réservés aux jeunes gens de plus de treize ans et donnant droit à des rations plus importantes. Au début, elle se récrierait – « Joseph, tu en auras besoin, tu n'es là que pour quelques jours » –, mais les arguments pour la convaincre ne manqueraient pas et elle finirait par accepter en confessant que ça mettrait du beurre dans les épinards, bien qu'on ne trouvât depuis longtemps ni l'un ni l'autre. « Economisez le pain, recommandaient les affiches sur les murs, coupez-le en tranches fines et utilisez toutes les croûtes pour la soupe » – comme si chez les ouvriers on avait pour habitude de jeter les restes.

Dans la journée, comme à chacune de ses visites, il rejoindrait Michel et son père à l'atelier. Ses talents d'ébéniste, il les avait manifestés très tôt, dès douze ans, en transformant au prix d'un beau gâchis son berceau en guéridon, réalisant ensuite un fauteuil aux arrondis massifs mais à l'assise trop étroite car il avait oublié d'intégrer dans ses calculs l'épaisseur des accoudoirs, et à seize ans embarquant ses amis à bord d'un long canoë de sa fabrication, baptisé le « Pourquoi-Pas ? » en souvenir du commandant Charcot, ce qui ne dénotait pas un franc optimisme quand on se rappelait comment avait fini, broyé par la banquise, son illustre éponyme. Cette préférence marquée pour le travail du bois était sans doute un héritage de ses ancêtres sabotiers établis depuis des siècles au cœur de la forêt du Gâvre, d'où le dernier de la lignée – son grand-père, qu'il n'avait pas connu – avait émigré pour ouvrir une échoppe à Random, laquelle avait évolué en un commerce de gros après qu'il se fut tranché un doigt, de sorte que la famille doit à ce sabot fatal inachevé, sorte de billot sacrificiel par sa forme grossièrement équarrie émergeant de la bille de bois, sa reconversion dans la porcelaine. Mais les outils remisés du mutilé pendaient toujours dans l'atelier : planes, ciseaux, gouges, avec lesquels il avait taillé dans la masse les accoudoirs et le dossier de son fauteuil.

Grâce aux conseils de ses hôtes, le jeune autodidacte était devenu un compagnon habile. Il s'était même fait une spécialité : les escaliers, dont la fabrication exige un mélange d'adresse, de science et d'improvisation : dans certains cas, on ne compte pas deux marches identiques. Peut-être même rêva-t-il un moment d'en faire son métier. Sur l'une des fausses cartes d'identité de sa période clandestine, établie au nom de Joseph Vauclair, né à Lorient, Morbihan (la ville détruite par les bombardements, les registres d'état civil avaient disparu), le 22 février 1925 (en se rajeunissant de trois ans, il évite le Service du travail obligatoire), à la mention Profession on lit : Menuisier – hommage à sa famille d'adoption et assurance de ne pas être pris en flagrant délit d'incompétence si un enquêteur avisé lui demandait tout à trac : qu'est-ce qu'une varlope, un trusquin ou un tarabiscot. Et si celui-là, méfiant devant la mise et l'allure du grand jeune homme, le soupçonnait d'un savoir purement livresque, il pourrait toujours tendre ses mains durcies par les travaux de la ferme, car au terme des quinze jours chez les Christophe il était prévu qu'il partirait se réfugier à la campagne, où toutes sortes de gens en définitive se retrouvaient : les volontaires, les récalcitrants, les réprouvés, les maquisards et les trafiquants, donnant ainsi en partie raison au Maréchal qui voulait que le pays s'y ressourçât, même si la nation en péril s'intéressait surtout en l'occurrence aux garde-manger des paysans et à leurs villages opportunément isolés.

Mais dans l'intervalle, entre la menuiserie et la ferme, il avait projeté de faire un détour par Random pour une apparition inopinée, un impromptu de sa façon, en comparaison de quoi le tour fameux de la malle des Indes ferait pâle illusion : on le croyait travailleur forcé en Allemagne, il resurgirait en Planchet sur la scène du théâtre, brandissant ses cannes à pêche au nez et à la barbe de l'occupant, avant de s'évanouir tel un nouveau Judex en laissant les spectateurs stupéfaits convertis momentanément à l'esprit de résistance (momentanément, car, sitôt la guerre finie, les mêmes s'empresseront de réélire, contre la liste composée des ex-combattants de l'ombre, l'équipe municipale en place qui avait envoyé de si jolies lettres au maréchal Pétain pour le féliciter de son action et l'encourager à ne pas oublier Random).

Les Christophe avaient cherché à l'en dissuader : « Joseph, un de plus, un de moins, les trois mousquetaires, dont on ne sait jamais au juste combien ils sont, se passeront bien de toi. C'est courir beaucoup de risques pour pas grand-chose. » Mais la chose en question s'appelait aussi Emilienne, et c'est le genre de chose qui à vingt et un ans autorise certaines extravagances.

Ayant quitté Nantes en catimini, il pédalait ferme dans la nuit tombante, sa valise ficelée sur le porte-bagages, ses cannes à pêche liées le long de la barre horizontale du cadre, sans lumière pour ne pas attirer l'attention, le catadioptre rouge à l'arrière démonté, plongeant avec son vélo derrière une haie chaque fois que les phares d'un véhicule trouaient le lointain – compte tenu du couvre-feu en vigueur, il ne pouvait s'agir que d'un indésirable –, mettant pied à terre devant un panneau indicateur qu'il éclairait de la flamme de son briquet parce qu'à force de prendre des chemins détournés il avait fini par tout à fait s'égarer, arrivant juste au moment où la représentation commençait, attendant son tour d'entrée en scène pour se faufiler dans les coulisses, se maquiller et emprunter sa perruque au pauvre jardinier en lui promettant de la lui rendre avant la fin du spectacle, ce qu'il fit sitôt terminée la scène d'embarquement pour l'Angleterre. Car ce n'était pas le moment de s'attarder. Il ne profiterait pas de son coup d'éclat. Avec quel enthousiasme pourtant la troupe eût accueilli son héros. Mais peut-être l'alarme avait-elle déjà été donnée. Comme il confiait à Maryvonne, en lui glissant une lettre à remettre à qui de droit, son intention de repasser chez lui prendre quelques affaires et de nouveaux livres, elle lui apprit que les Allemands avaient investi le petit logement de sa tante, laquelle campait, comme il le lui avait demandé, dans la grande maison familiale en compagnie d'un groupe d'élèves qu'elle avait prises en pension afin d'opposer aux squatters autoritaires une sorte d'hôtel complet, si bien que ceux-là, tenus en respect par cette petite force têtue, se pressaient à trois dans son minuscule ermitage du jardin. Il abandonna son projet et reprit la route en direction de Riancé. Le regret le tint plusieurs kilomètres de n'avoir pas accordé un peu de temps à sa courageuse tante. Pourquoi ne lui avait-il pas au moins laissé un mot ? Elle, la très-fidèle, trahie par son bravache de neveu. Du coup, il se sentait moins fier de lui. Il commença bientôt de pleuvoir, une pluie fine, insidieuse, qui, mêlée au froid de la nuit, l'obligea à chercher un abri. Il était suffisamment loin maintenant. Il avisa une grange et, après avoir dissimulé son vélo, se blottit dans le foin où, la fatigue aidant, il s'assoupit.

Au petit matin il posait pied à terre devant le magasin de monsieur Burgaud, tailleur pour hommes et pour dames à Riancé, maison fondée en 1830, selon l'aristocratique blason doré au-dessus de la vitrine. En attendant l'ouverture, il se livra à une toilette sommaire qui consistait à retirer les tiges de foin de ses vêtements, essuyer ses verres de lunettes et se redonner au jugé un coup de peigne. Deux jeunes filles le dépassèrent en gloussant. Elles contournèrent la maison par le jardin mitoyen et l'une d'elles, peu après, entreprit de hisser le rideau de la boutique, tout en lançant un nouveau regard intrigué au grand jeune homme frigorifié qui se frottait les mains et tapait du pied sur le trottoir en face. Comme aucun client ne se présentait, il poussa la porte d'entrée, qui fit cliqueter la suspension de petites barres de cuivre au-dessus de sa tête. Une chaude odeur d'étoffes aussitôt l'envahit, qui le consola de son vagabondage nocturne. La lucarne vitrée d'un poêle projetait une lueur orangée tremblotante sur le parquet. Il détaillait sur les étagères les empilements de pièces de tissu enroulées à plat autour d'une planche, admirait en connaisseur le long comptoir ouvragé sur lequel reposait un mètre de bois à section carrée, quand, venant du fond du magasin, il reconnut, à sa démarche un peu chaloupée correspondant au signalemen qu'on lui en avait donné, madame Burgaud. « Monsieur, que puis-je pour vous ? » demanda-t-elle, soupçonneuse, en se tenant à distance de ce grand jeune homme qui empestait le foin. Beaucoup, mais il jugea plus correct de d'abord se présenter : sans doute était-elle au courant, il venait de la part de sa fille Marthe et de son gendre Etienne, lesquels s'étaient installés, jeunes mariés, à Random, quelques années avant la guerre, pour y reprendre une affaire de grains.

C'est Etienne, à qui il s'était confié après avoir reçu sa convocation, qui lui avait conseillé Riancé. Pour la meilleure des raisons : on n'y croisait pas un seul Allemand. Et puis, autre avantage en ces temps de pénurie, le bourg, entouré de forêts d'autant plus giboyeuses que la chasse était interdite, bénéficiait d'extra tout à fait princiers. Le braconnage battait son plein et il n'était pas rare, certains dimanches, qu'on servît du chevreuil à la table des Burgaud. Depuis que la vie à Random était devenue trop difficile, Etienne y avait d'ailleurs envoyé sa femme et leurs trois enfants. La maison de ses beaux-parents était accueillante. Alphonse Burgaud, qui connaissait tous les paysans de la région pour leur avoir un jour ou l'autre – à l'occasion d'un deuil ou d'un mariage – taillé des costumes, saurait bien dénicher une ferme qui accepterait d'héberger le fugitif.

Madame Burgaud demanda au grand jeune homme de la suivre et le fit passer dans le salon-salle à manger, l'engageant à s'installer en dépit de ses craintes que cette tenace odeur de foin ne contaminât son fauteuil, le temps pour elle de prévenir son mari. La pièce, à laquelle on accédait par trois marches décorées de mosaïque, occupait une aile récemment surajoutée à la maison. Eclairée par de larges baies vitrées en angle, elle donnait sur un petit parc où sautillait en toute liberté une chèvre minuscule. Revenue à l'improviste, madame Burgaud devança la question supposée du jeune homme qui regardait pensivement à la fenêtre, et, désignant l'animal : « Avec son sens très particulier des affaires, mon mari nous fera tous devenir chèvres. »

Comme les paysans manquaient de liquidités, l'argent ne tombant traditionnellement qu'à la fin des moissons – et un costume parfois n'avait pas la patience d'attendre –, Alphonse Burgaud acceptait sans discuter la valeur du troc ce qu'on lui offrait en échange de son ouvrage. Une chèvre pour les gros travaux, du beurre et des œufs pour les plus modestes, voire « Vous me réglerez une prochaine fois » si ses débiteurs étaient trop démunis. Le premier chevreau d'une longue et déjà ancienne lignée finit sur la table. Quand les trois petites filles de la maison, à qui l'on avait caché la vérité, reconnurent dans ces morceaux rôtis leur compagnon de jeu des dernières semaines inexplicablement disparu, elles commencèrent à renifler, puis de grosses larmes tombèrent dans leur assiette, et bientôt, dans un concert de sanglots, refusèrent de toucher à la nourriture, du coup Alphonse déclara que lui non plus n'avait pas faim, sur quoi Claire, son épouse, puisque c'était comme ça, se saisit du plat et hop, le déversa dans la poubelle. Les chèvres qui suivirent – il y en eut jusqu'à quatre dans l'enclos grillagé équipé d'une cabane de rondins – prirent donc le temps de grandir et de mourir de mort naturelle, au grand dam de Claire qui réclamait à son mari de les lui rapporter de préférence en pièces détachées. La dernière, en dépit de sa petite taille, n'était plus un chevreau depuis longtemps.

Une hypophyse déréglée sans doute, mais qui avait permis au paysan de réaliser une bonne affaire, car, honnêtement, les mètres d'organdi, les dizaines d'heures passées à tirer l'aiguille et s'esquinter la vue, les longues séances d'essayage à l'atelier pour qu'en définitive la mariée ressemblât à un petit nuage floconneux, tout cela valait plus qu'une chèvre naine.

Dès qu'il entra dans le salon, en costume trois-pièces, tiré à quatre épingles, petit, le cheveu court poivre et sel taillé en brosse, la moustache chaplinesque, Alphonse Burgaud s'avança main tendue vers son visiteur et le reconnut. Il y avait un peu plus de deux ans maintenant, le ciel était gris comme il sied à un jour de Toussaint, et le tailleur accompagnait au cimetière de Random sa fille Marthe qui venait se recueillir sur la tombe de son premier-né, un éphémère petit Jean-Clair. Comme il remontait l'allée latérale au bras de sa fille, il avait remarqué ce grand jeune homme à lunettes qui soutenait son père effondré devant une sépulture fleurie. A l'abondance des fleurs on devinait la proximité du drame et à l'accablement de cet homme l'ampleur de son chagrin. Un an plus tard, dans ce même pèlerinage du souvenir, le grand jeune homme était seul. Sa haute silhouette s'inclinait au-dessus de la tombe des siens, comme s'il se préparait à s'y étendre. Emporté par la puissance de son chagrin, le père effondré n'avait pas tardé à rejoindre son épouse sous la dalle de granit gris, témoignant par son empressement d'une troublante fidélité dont il semblait exclure celui qui avait été pourtant l'incarnation de cet amour. Et celui-là, le fils abandonné, balançait à son tour à la pensée de les retrouver, de reprendre entre père et mère la place chaude de l'enfant prodige qu'il avait été – prodige de vie dans cette succession de naissances avortées. C'est alors qu'Alphonse Burgaud avait assisté à une sorte de sauvetage : une petite dame aux cheveux blancs, toute vêtue de noir, trottinant la tête dans les épaules – sa tante, et la plus formidable institutrice de Loire-Inférieure, aux dires de Marthe –, se portait à la hauteur du jeune désespéré, le tirait par le manteau, l'arrachait à ce pouvoir hypnotique de la pierre couchée et, après avoir emporté sa décision, remontait en sa compagnie l'allée centrale du cimetière vers la sortie.

Par une étrange imbrication du destin, c'est entre ses mains maintenant que le grand jeune homme remettait son salut, comme si, traqué de toutes parts, celui-ci ne savait trop comment s'y prendre avec cette vie qui lui avait été si miraculeusement accordée. Sitôt sollicité par Etienne, invité à entrer dans cette histoire dont il avait été le témoin fasciné, Alphonse Burgaud s'étais mis en quête d'une ferme où camoufler le réfractaire. Il l'avait trouvée en lisière de forêt, sur les terres du comte de la Brègne, une des plus anciennes familles de France, c'est-à-dire ni plus ou moins ancienne qu'une autre mais en mesure d'établir au cours des siècles la permanence du nom, ou du moins cette mémoire zigzaguante qui ramène à une origine d'autant plus prestigieuse que lointaine, et qui faisait dire à une marquise d'Ancien Régime, contestant les titres d'un général d'Empire, prince de ceci et duc de cela : « Oui, mais vous, vous n'avez pas d'ancêtres », et le général couvert de gloire et de blessures autant que le soudard des croisades qui avait donné son nom à la lignée répliquant superbement : « Mais madame, les ancêtres, c'est nous » – ce qui n'était pas non plus gentil pour son père, lequel n'était peut-être qu'un simple cabaretier, statut que ne reconnaît pas la prétention à l'ancienneté, sinon bien entendu chez les cabaretiers eux-mêmes.

Le tailleur de Riancé avait ses entrées au château. Il lui suffisait d'apporter son savoir-faire et son nécessaire à couture, car, pour les tissus, le comte faisait venir tout exprès d'Ecosse des coupons de shetland. Ces façons impressionnaient beaucoup Alphonse Burgaud, qui avait gardé de ses années d'apprentissage chez les couturiers parisiens le goût des étoffes précieuses et des matières confortables et légères, comme ce manteau de cachemire qu'en démonstration il soupesait du petit doigt. Tablant sur les affinités britanniques du comte, sa première intention avait été de l'informer que ses fermiers auraient peut-être à héberger prochainement un réfractaire au STO. Mais, suite à quelques propos peu amènes à l'égard de ce général de brigade qui parlait sur les ondes de la radio anglaise (lequel n'avait en fait à ses yeux que le tort d'être un hobereau dont la particule n'impliquait aucun titre de noblesse), Alphonse Burgaud avait préféré ne rien dire et garder son secret pour lui.

C'est ainsi que, quelques semaines plus tard, le

comte eut la surprise de croiser sur ses terres un curieux vacher, affublé d'une veste étriquée et d'un pantalon de velours noir bien trop court pour sa haute taille, se tordant les pieds dans ses sabots en accompagnant le troupeau, un livre ouvert à la main gauche dont il interrompait de temps à autre la lecture pour donner un petit coup de badine sur la croupe d'une vache flemmarde. Car le jeune homme avait accepté l'offre généreuse des fermiers à la condition de participer aux travaux de la ferme comme un simple valet. Il se levait à l'aube pour la traite dont il disait qu'elle réclame un tour de main rien moins qu'évident à attraper. Il ne suffit pas de malaxer les mamelles de la pauvre bête, de se comporter comme un sonneur de cloches, pour que fuse le jet de lait sifflant, crémeux, cinglant à gros bouillons la paroi métallique du seau et embuant d'une vapeur tiède les lunettes du trayeur. Il s'était longuement appliqué à maîtriser ce mouvement alternatif, main droite, main gauche, cette pression calculée des doigts, le pouce et l'index en anneau autour des trayons fonctionnant comme une valve et contrôlant la montée du lait avant de l'exprimer. Cet apprentissage sous l'œil critique et amusé du maître fermier n'avait pas été sans quelques désagréments. Car la manœuvre est risquée. Que l'animal repère l'incompétent maladroit et il manifeste sa mauvaise humeur en balançant une queue d'ordinaire assez peu propre à la tête de son tortionnaire, à moins que d'un écart il ne l'expédie – et le seau avec – à la renverse dans le fumier. La joue plaquée contre le flanc de l'animal, en équilibre instable sur le tabouret à trépied trop bas pour sa taille, il peinait à caser ses longues jambes de part et d'autre du ventre rebondi, de sorte que, dès qu'il assura seul la traite, il inventa d'attacher les queues des vaches et de s'emmitoufler la tête dans un sac en toile de jute, n'hésitant pas à adopter des positions peu orthodoxes comme de s'asseoir en amazone pour prévenir le coup de sabot d'une bête revêche dont son tibia avait gardé un souvenir bleuté.

Des semailles de printemps aux labours d'automne il accompagna le cycle complet des travaux agricoles, bina, faucha, moissonna, mit le blé en gerbe, engrangea, sarcla, arracha, soigna particulièrement les quelques plants de tabac à usage domestique, se mettant pour l'occasion à la pipe qu'il n'aimait pas parce que la fumée refroidit dans le tuyau, mania la fourche et la bêche, nettoya l'étable, brouetta la litière, fendit le bois, maintint fermement le cochon que le fermier assommait, tourna presque de l'œil à la vue du sang jaillissant, demandant juste une dispense pour l'entretien de l'écurie et des deux lourds chevaux de trait après que l'un d'eux eut manqué de lui sectionner un doigt alors qu'il tentait de lui placer le mors entre les mâchoires (si bien que, des années plus tard, reliant cet épisode à la mémoire de son père, il confia qu'il eût fait un piètre dragon), occupant le reste de son temps à s'ennuyer, lire, bricoler, aménageant des étagères, réparant le manchon d'une charrue, disparaissant parfois plusieurs jours d'affilée quand les travaux ne rendaient pas sa présence indispensable, ou certains soirs enfourchant sa bicyclette et annonçant qu'il serait de retour au petit matin pour la traite, et de fait on le retrouvait à son poste, ayant à peine pris le temps de se changer, comme si rien ne s'était passé, aucun signe dans son comportement ne permettant d'informer ses hôtes sur ses agissements secrets, et d'ailleurs, plutôt que de chercher midi à quatorze heures, n'était-il pas plus simple d'imaginer là-dessous une histoire de fille, parce qu'après tout c'était de son âge et que pour un jeune homme plein de vigueur cette vie de reclus n'était pas une vie, mais lui ne laissait rien transparaître, sauf cette fois où, de retour après plusieurs jours d'absence, la fermière qui balayait dans la cour le vit descendre en catastrophe de son vélo, filer dans sa chambre et entreprendre aussitôt de brûler des papiers dans la cheminée, éparpillant ensuite les morceaux calcinés au-dessus du tas de compost, et, comme on approchait de midi, ses seuls mots furent pour décliner le déjeuner sous prétexte qu'il n'avait pas faim, avant de se retirer. Un peu plus tard, la fermière, inquiète de son silence, frappe à sa porte pour lui proposer un semblant de café, c'est-à-dire un infâme jus d'orge grillée, et, n'obtenant pas de réponse, s'autorise à pénétrer dans sa chambre, qui est celle de son fils prisonnier en Allemagne, la trouve vide, la fenêtre grande ouverte sur l'été bourdonnant et la masse verte des arbres, ne s'en étonne qu'à moitié car elle sait qu'il a l'habitude d'enjamber l'allège afin de ne pas déranger quand il rentre de ses expéditions nocturnes, et elle l'aperçoit en lisière de forêt, assis au pied d'un arbre, prostré, la tête dans ses bras repliés, une cigarette se consumant entre les doigts.

Il s'en était fallu d'un rien, d'un coup de pédale pas assez énergique, d'un détour trop long, d'une hésitation dans la recherche du lieu de rendez-vous, mais sans ce retard salvateur il serait aux côtés de son camarade Michel Christophe, arrêté presque sous ses yeux, poussé violemment dans une voiture, conduit à Nantes, torturé au siège de la Kommandantur, emprisonné puis déporté à Buchenwald d'où il revint à la fin de la guerre, maigre, tellement maigre avec cette fine enveloppe de peau épousant son crâne et ses os, que sa mère qui l'accueillit sur le quai de la gare hésita à refermer ses bras autour des pauvres formes de son fils de peur de le réduire en poussière, comme ces momies manipulées sans précaution à l'ouverture d'une sépulture ancienne, lui disant : « C'est bien toi », non pour s'assurer qu'il s'agissait bien de lui – mutilé, défiguré, comment n'eût-elle pas reconnu cette part d'elle-même ? – mais comme on s'étonne de la métamorphose d'un proche : c'est bien toi, qu'on n'imaginait pas capable d'un tel prodige, c'est bien toi, cet équilibriste sur le fil de la mort. Et pendant des jours l'alimentant comme un enfant de bouillies et de viande hachée, respectant son silence, et lui, à mesure qu'il reprenait des forces, que son regard paraissait moins lointain, commençant à raconter les affres du corps : la faim, les poux, la vermine, la dysenterie, le froid, la fièvre, mais comment faire entendre cette faim-là à ceux qui évoquent en retour leurs privations, ces démangeaisons-là à se gratter jusqu'au sang et à la folie à ceux qui se plaignent que le savon était une denrée rare et ne moussait jamais, ce froid-là à ceux qui grelottèrent quatre hivers, cette fièvre-là à ceux qui empilaient sur eux couvertures et édredons, alors gardant le reste pour lui, ne confiant que bien plus tard à son camarade Joseph ce qui tourmentait ses jours et ses nuits depuis son retour et dont il avait été le témoin : cinq cents petits Gitans, entre cinq et douze ans, exécutés à la seringue, un à un, que l'on immobilisait sur une table pendant qu'un pseudo-chirurgien, liftier dans le civil, leur enfonçait une longue aiguille dans le cœur, y instillant un poison jaunâtre à l'effet foudroyant. Et son camarade, se rappelant sa lenteur à bicyclette et le hasard bienheureux qui lui avait valu de ne pas partager le même sort, se retenant de lui demander s'il avait fait partie de ceux qui maintenaient de force les petits martyrs.

Souvent le dimanche, à l'invitation d'Alphonse, il passait une partie de la journée chez les Burgaud où l'on tenait table d'hôte. C'était l'honneur du tailleur de se montrer ouvert et accueillant. Cette curiosité d'esprit lui avait valu de gagner l'amitié d'un théologien et d'un père dominicain, amitié à travers laquelle ressortait le questionnement d'une âme inquiète, et de conserver celle des compagnons de ses années parisiennes, alors que, jeunes gens pauvres de province, ils couraient la ville-lumière pour assurer la claque en échange d'une place de concert. Deux de ceux-là, un polytechnicien et un journaliste qui avaient fait depuis leur chemin, continuaient de rendre visite à leur modeste ami, et plus souvent encore maintenant que dans Paris occupé la vie était devenue vraiment difficile. Tout ce monde et d'autres – notamment un étudiant chinois dont on se demande comment il avait échoué là – se rencontraient dans la grande maison de Riancé. Les conversations allaient bon train auxquelles le grand jeune homme se mêlait du bout des lèvres depuis qu'Alphonse, sans le nommer, l'avait mis en garde : le comte de la Brègne avait confié au tailleur son étonnement devant la découverte à la ferme, sur un coin du buffet, d'un exemplaire du « Louis Lambert » de Balzac dont il doutait qu'il fût le livre de chevet de ses fermiers. Cet incident avait permis au théologien de pointer les ouvrages à l'index de la bibliothèque du salon, s'en prenant même aux auteurs bien-pensants de la bourgeoisie, déclarant, péremptoire : « Tout Bordeaux n'est pas à lire » – ce qui avait fait frémir, car, si Henry Bordeaux, ardent célébrant de l'ordre moral, de la foi et de la famille, rejoignait l'enfer de la littérature, il ne restait plus guère que l'« Imitation de Jésus-Christ ». L'avertissement était lourd de menace pour la vie future du maître des lieux, mais celui-ci se consolait en dégustant, voluptueusement renversé dans un large fauteuil en cuir patiné, les havanes que lui rapportait son ami journaliste, directeur fondateur de « La Revue des tabacs ». Car Alphonse Burgaud était ainsi fait qu'il balançait entre sacré et profane, capable de faire retraite une semaine chez les moines de l'abbaye de la Melleraye, partageant leur maigre repas, assistant aux offices, et de fuguer plusieurs jours sans qu'on sût jamais où ni avec qui – ce qui était sans doute moins avouable. Mais dans les deux cas le résultat revenait à peu près au même : il s'agissait toujours de fuir la maison.

Le musicien réconciliait le pénitent et le repenti. Premier prix de violon du conservatoire de Nantes, il avait même, à celui de Paris, suivi des cours d'harmonie et de contrepoint, si bien que la musique occupait une grande place chez les Burgaud. L'un apportait sa flûte, un autre son alto, un troisième son violoncelle, Alphonse indifféremment se mettait au piano ou prenait son violon, et la soirée se prolongeait aux accents de cet orchestre de chambre improvisé dont les notes, l'été, par la fenêtre ouverte, accompagnaient le sommeil des nuits de Riancé.

Claire Burgaud goûtait modérément ces réunions. Outre qu'elle y voyait encore pour son mari un moyen de s'exiler, elle avouait, en réaction peut-être, que la musique lui cassait les oreilles. Et pour bien se faire comprendre, ce jour où Marthe accouchait de son troisième enfant, irritée qu'on se livrât à une activité aussi futile pendant que sa fille vivait les douleurs de la parturition, elle avait fait irruption dans le salon, arraché la flûte des lèvres d'un représentant en lingerie qu'Alphonse allait chercher tout exprès à la gare d'Ancenis et, comme on procède avec une branche, l'avait brisée sur son genou, rendant les deux morceaux au malheureux musicien en disant : « C'est un garçon ». Ces emportements étaient légendaires. Elle se vantait d'avoir usé deux voiles le jour de son mariage, ayant arraché le premier en le coinçant dans une porte qu'elle venait violemment de claquer. (A sa décharge, l'événement n'était sans doute pas le plus heureux de sa vie, cette union ayant été plus ou moins arrangée par les deux familles). Sa brusquerie lui avait même valu de s'empaler la main sur une pique de bureau, cette pointe métallique sur laquelle on enfile les factures comme Pascal ses pensées, et qui, en même temps que la feuille, lui perfora la paume de part en part, laissant à la femme pressée un stigmate brun comme une tache de vieillesse avec laquelle, l'âge venant, il finit pas se confondre. Il y avait un fond d'amertume dans sa façon d'expédier tout à la va-vite, comme on se débarrasse de corvées ennuyeuses. Même son aversion déclarée pour la musique renvoyait en fait à une vocation contrariée : alors que, jeune fille, elle s'entraînait de longues heures au clavier, son père, excédé de ne la voir occupée à rien d'autre, avait débité son piano à queue à la hache. La petite table teintée acajou dans le coin du salon, c'était tout ce qu'il en restait.

Le grand jeune homme avait ainsi fait la connaissance des deux sœurs de Marthe : Anne, la cadette, discrète, gracieuse avec son long nez fin, menue comme un tanagra (les trois filles Burgaud rivalisaient en petite taille : Anne, la plus grande, culminant à un mètre cinquante), qui semblait se tenir à l'écart de l'agitation de la maisonnée, silencieuse, brodant, pianotant, n'hésitant pas à se joindre aux ouvrières de l'atelier pour coudre ou piquer aux côtés de son père, et Lucie, la benjamine, encore adolescente, un peu boulotte, toujours enjouée, prompte à s'enflammer, et qui immédiatement s'était proposée pour lui porter son courrier à la ferme. Il la voyait arriver à bicyclette, toujours à vive allure, coupant par la forêt moins pour économiser des hectomètres que pour donner plus de piquant à sa mission secrète, cahotant sur le chemin de terre, cramponnée à son guidon, et, encore essoufflée, lui tendre les enveloppes qu'il parcourait rapidement, les tournant, les retournant à la recherche d'une écriture désirée, et, tandis qu'il les glissait dans sa poche, elle pouvait lire la déception sur son visage. « La poste marche mal », disait-elle pour atténuer son chagrin et avancer une explication à cet insupportable retard. Il hochait tristement la tête : « La guerre a bon dos », répondait-il, manière de mettre en doute cette distribution sélective du courrier qui laissait passer les lettres de sa tante et retenait précisément celles de la bien-aimée. Bien qu'il ne l'eût jamais évoquée devant elle, Lucie connaissait son histoire. Elle avait même imaginé de lui écrire, à cette Emilienne, pour qu'elle rompît le silence dans lequel elle maintenait son officieux fiancé. Mais les nouvelles qu'elle avait réussi à glaner auprès d'Etienne laissaient entendre, sans qu'il lui fût possible de faire la part des choses, que la blonde Milady confondait son rôle et sa vie. La rumeur en était-elle parvenue jusqu'à lui ? Il empocha un jour les lettres sans même y jeter un regard.

Quand l'occasion se présentait, Lucie glissait, parmi les livres qu'à sa demande elle lui apportait, une douceur consolante sous la forme d'une tablette de chocolat – son vice, aimait-il à répéter. Cette attention avait valu à son auteur d'être surnommée « Petit Chaperon rouge ». Et comme cette fois-là la messagère portait une pèlerine bleue, pour mieux s'accorder sans doute à la remarque du grand jeune homme elle avait rougi.

Il avait maintenant épuisé la bibliothèque des Burgaud et les dividendes de la vie au grand air. La moisson achevée, il annonça son intention de partir. Le vide laissé par Michel Christophe dans l'atelier de son père, il se proposait de le combler. C'est pourquoi il était sous les toits d'un immeuble ancien à consolider une charpente, ce 16 septembre 1943, quand la sirène retentit sur Nantes – un hurlement de bête apeurée avec lequel les habitants avaient appris à composer. Les alertes se succédaient depuis plusieurs semaines sans autres dommages qu'une pause forcée d'une petite heure. La population cessait sur-le-champ toute activité et se précipitait vers les abris aménagés dans les caves profondément enfouies de la vieille cité. Les voûtes de pierre qui avaient déjà supporté trois ou quatre siècles reprenaient du service. A la modernité la plus brutale on opposait le savoir-faire des bâtisseurs de cathédrales.

Une odeur de moisissure accueille ces enterrés volontaires qui se pressent dans la pagaille sur les bancs, s'adonnant à une variante inédite du jeu des chaises musicales, les anciens combattants et les mutilés – ce sont souvent les mêmes – exhibant une carte avec photo et exigeant la priorité, s'autorisant au nom de leur bravoure passée une petite lâcheté bien méritée. Pour leur donner raison, ceux qui se lèvent ostensiblement donnent moins leur place qu'une leçon de correction. Gagné sur les franges limoneuses du fleuve, le sous-sol restitue par les joints friables entre les moellons son trop-plein d'humidité. Ceux qui sont restés debout hésitent à s'appuyer contre les murs suintants recouverts par endroits de salpêtre, comme un signe explosif de ce qui se prépare au-dessus de leurs têtes. Une ampoule nue au bout de son fil livre à chacun les frayeurs de l'autre. Certains préfèrent demeurer dans la pénombre, gardant pour eux-mêmes ce que dévoile crûment l'arène de lumière. Les regards se croisent, s'évitent, établissent une connivence passagère, se détournent au seuil de la confidence. La proximité de la mort ne justifie pas qu'on manque de tenue. Jambes serrées, les femmes tirent sur leurs robes d'été qui, découvrant le genou, n'ont jamais été aussi courtes. La pénurie a quelquefois du bon qui économise le tissu tout en choyant le coup d'œil. Cet homme penché en avant, les coudes en appui sur les cuisses, le visage dans les mains, pour rien au monde n'échangerait sa place. Paupières à demi baissées, sous ses allures d'angoissé profond, il attrape dans son champ de vision les jambes croisées de sa voisine. Le moment serait propice cependant pour passer un bras autour d'épaules tremblantes, pour réconforter d'une pression de la main une main apeurée, car la terreur est si forte parfois qu'il arrive que des cheveux se dressent sur la tête ou blanchissent dans le temps d'une alerte.

Chacun se demande si la place du voisin ne serait pas un meilleur gage de survie que la sienne. A quel emplacement le salut ? Là-bas plutôt qu'ici ? Sous cette partie basse de la voûte ou dans l'encadrement de la porte ? Quelles victimes futures ont déjà dans cette loterie funèbre reçu leur billet de mort ? Quand des grains de poussière se détachent de la voûte et saupoudrent une tête, celui-là visé sursaute, vérifie en levant les yeux l'origine de ce micro-séisme et sans un mot choisit une autre place. Bien que les candidats ne manquent pas, l'emplacement libéré reste vide. Ceux qui l'encadrent s'écartent machinalement, creusant entre eux une sorte de puits où devra se jeter en priorité le désastre, comme s'il était possible d'entasser dans cet espace marqué par une pincée de poussière crayeuse toutes les ruines de l'ancienne résidence des ducs de Bretagne.

Un grand nombre de réfugiés viennent du cinéma voisin, le Katorza, situé dans la rue du même nom, entre la rue Scribe et la place Graslin, et qui affiche « Le comte de Monte-Cristo » avec le beau Pierre Blanchard dans le rôle-titre, deux heures de vengeance implacable par un maniaque du ressentiment que ne touche à aucun moment l'esprit de pitié. Après la première partie, documentaire et actualités (une voix tête à claques claironnant une avancée victorieuse des forces de l'Axe et le baiser du Maréchal à une petite fille fleurie venue l'accueillir à sa descente de train), passé l'entracte, au moment où défilait sur l'écran le générique du film, par-dessus la musique soudain, ou plutôt comme l'inflation d'une note cancéreuse, une longue plainte crescendo étrangère à la partition avait interrompu brutalement la projection, rallumé les lumières et précipité les spectateurs floués vers la sortie. Dans la longue salle basse voûtée on commente l'événement : « Avez-vous vu Monte-Cristo ? » A quoi certains répondent, avec un petit sourire entendu, que, non, ils n'ont vu monter personne. Puis les conversations se diluent dans l'attente. Le silence se courbe sous les vieilles arches, fait le gros dos, juste irrité par le sanglot bientôt ravalé d'un enfant.

« Joseph, tu ne descends pas ? » Non, il préfère rester ici. Il se sent plus en sécurité sous les combles que dans un abri souterrain à la merci d'un contrôle d'identité sans possibilité aucune de s'échapper. Et puis, s'il arrivait quelque chose, il n'a pas envie d'être enterré vivant – d'être enterré mort non plus d'ailleurs, qui plus est sous un faux nom. Qui réclamerait le corps de Joseph Vauclair, menuisier, né à Lorient ? Qui le pleurerait ? Et puis, des alertes, il s'en est déjà produit, il ne s'est jamais rien passé. Les bombardiers se contentent de survoler la ville à très haute altitude et réservent leurs lâchers funestes aux rives industrieuses du grand fleuve ou à un pont en amont. Il a assisté un soir, alors qu'il aidait un pilote abattu à franchir la Loire, à ce « Son et lumière » féerique, l'horizon soulevé en geysers de feu, le pointillisme d'or des mitrailleuses se reflétant dans l'eau, et, sur l'écran de la nuit, le balai des faisceaux de projecteurs fouillant les ténèbres pour planter dans l'œil illuminé d'un cockpit une très vieille idée du malheur. « Alors, à tout à l'heure, Joseph, et fais bien attention à toi. » Joseph tapote du plat de la main la pièce de charpente qu'ils viennent de restaurer : « Ne vous inquiétez pas, monsieur Christophe, c'est du solide. »

Les pas du menuisier se sont à peine estompés dans l'escalier qu'une rumeur grondante, comme une ébauche d'orage, pointe dans le lointain, grandit, enfle démesurément jusqu'à envahir tout l'espace, recouvrant bientôt la ville d'un dôme de tonnerre, ronronnement puissant, assourdissant, mécanique, qui pousse le grand jeune homme à se hisser par une lucarne sur le toit, s'allongeant à même les ardoises, visage tourné vers le ciel, aux premières loges pour saluer le beau geste des libérateurs tout là-haut dans un bain bleu pâle d'empyrée, bien à l'abri des représailles des batteries antiaériennes, à quoi l'on reconnaît la désinvolture des Américains, quand les pilotes anglais, parfaitement élégants, prennent tous les risques, lâchant leurs bombes en piqué pour gagner en précision et ne pas se tromper de cible, et les bombardiers sont si nombreux qu'ils assombrissent le soleil déclinant de cette fin d'été, nuage noir ajouré, mouvant, soudain relié à la terre par une curieuse échelle de Jacob, des échelons fous démontés qui s'affalent des soutes ouvertes en sifflant, percutant le sol dans un fracas formidable du côté du Rond-point de Vannes, la chaîne explosive progressant vers la place Bretagne, soulevant sur son tracé des colonnes de flammes noires qui se boursouflent au-dessus des toits perforés comme des coffres de pacotille, atteignant maintenant la place du Pont-Sauvetout, si proche que le souffle d'une déflagration projette l'observateur monte-en-l'air contre la souche d'une cheminée qui en perd ses mitres, mais le retient de basculer dans le vide, et c'est tuméfié, l'épaule à demi déboîtée, que l'imprudent regagne précipitamment les combles, se recroquevillant dans la cage d'escalier, les mains en conques sur les oreilles, n'ayant plus que ce pauvre geste à opposer à l'effrayant vacarme, et il a beau fermer les yeux, s'abîmer dans la contemplation de ce noir rétinien piqueté d'étoiles, il ressent dans son corps les trépidations du sol et des murs à chaque détonation, s'accrochant à cette drôle d'idée qu'il ne peut mourir sous un faux nom, hésitant tout ce temps à rejoindre cet abri que lui a signalé le charpentier, sous le café Molière, à deux pas du Katorza, mais il est trop tard désormais, le labourage tragique éventre à présent la place Graslin, semailles meurtrières qui surprennent les passants incrédules comme ces villageois que les cris répétés du petit Pierre ne parviennent plus à convaincre de la peur du loup, l'alerte jusqu'alors ce n'était qu'un prétexte commode pour quitter le bureau, le magasin ou l'usine, et pour flâner jusqu'aux abris, ceux-là courant éperdus dans tous les sens, emportant dans leurs bras des enfants au visage défiguré par la frayeur, tirant les plus âgés par la main qui traînent à leur tour un jouet, un ours en peluche, déviant leurs trajectoires au hasard des bombes et des éboulements, projetés à terre par une onde de choc, se relevant, repartant à courir, remettant à plus tard de s'inquiéter du filet de sang qui coule d'une tempe, et de tous côtés des appels, des recommandations à ne pas se séparer, des noms d'abri hurlés par des hommes responsables, les explosions se succèdent, des milliers de bombes sur Nantes cet après-midi-là, auxquelles se mêlent les torchères surgissant des saignées des trottoirs, tuyaux de gaz sectionnés transformés en lance-flammes, comme si l'enfer souterrain joignait ses forces maléfiques à la fureur céleste, et la chaleur du brasier est telle près de la pharmacie de Paris, embrasée sur cinq étages, que les plats d'argent d'une bijouterie voisine se liquéfient en une sauce de mercure, des immeubles pulvérisés ouvrent des béances dans l'alignement des façades, des pans de mur vacillent lentement et s'effondrent en une avalanche de pierres qui comblent les rues, redessinant le plan de la ville et composant avec les rails de tramways arrachés, avec les poutres, les carcasses de voitures et le mobilier dépecé, de dérisoires barricades face à l'insurrection du ciel, les bâtiments s'ouvrent comme des maisons de poupée, lits à ciel ouvert, cheminées en suspension collées contre un pignon, appliques murales piquant du nez, retenues par un fil électrique, tapisseries intérieures soudain dévoilées, aussi impudiques que des dessous, miracle d'un miroir intact pendu au-dessus du vide, et sous les blocs déjà les corps broyés, mutilés, des humains et des chevaux de fiacre prisonniers de leurs brancards, les cris déchirants qui réclament d'improbables secours, couverts par le vacarme immense, et devant le Katorza, dans un nuage de poussière et de fumée, hagarde, terrorisée, la cadette des Burgaud, la frêle Anne, la jolie Anne, qui, c'est une première, a boudé ses cours du jeudi pour accompagner son cousin à la séance de quinze heures, et elle raconte que sans Freddy elle serait morte ce 16 septembre 1943, écrasée ou percée par un éclat d'obus, mais morte à vingt et un ans, incroyable châtiment pour avoir préféré à sa leçon de comptabilité les beaux yeux vindicatifs de Pierre Blanchard – ô maman, suis bien ton cousin, il est de Nantes et connaît les abris, ne demeure pas prostrée d'effroi sur le trottoir au milieu de ce déluge de pierres de feu, il faut que tu sois bien en vie et aussi ravissante quand tu vas, c'est pour bientôt, sceller un pacte d'amour avec le grand jeune homme recherché qui joue sa vie dans les parages, tu as déjà croisé son regard ces dimanches qu'il passe à vos côtés, décelé dans la douceur de son sourire un fond de tristesse dont tu peux deviner la cause, tu as goûté aux plaisirs de sa conversation – il a beaucoup lu et connaît mille choses –, tu as peut-être même remarqué que depuis quelque temps il cherche par un mot aimable, une attitude prévenante, à retenir ton attention, mais avoue que tu es sensible, comme tout le monde d'ailleurs, à son charme, son entrain, sa gentillesse, tu as noté ses bonnes manières – cela compte chez vous –, son élégance naturelle, cette façon de tenir sa cigarette du bout de ses doigts jaunis par la nicotine ou d'incliner sa haute taille quand il prend congé et te serre la main, t'obligeant à lever les yeux vers lui mais, c'est un fait notoire, souvent les hommes grands épousent de petites femmes, tu l'as vu, adroit de ses mains, réparer la poupée d'une petite fille réfugiée avec sa maman à Riancé et tendre à l'enfant ravie ce prodige de la chirurgie plastique, des yeux réorbités, un bras remonté, tu n'ignores pas que, réfractaire au STO, il se cache dans une ferme des environs – il va y retourner quelques jours pour les labours d'automne –, mais n'en va pas tirer des conclusions hâtives car il s'agit d'un brave – sais-tu son surnom dans la Résistance ? Jo le dur, oui, tu as bien entendu, il ne s'en vantera pas, on trouve le renseignement dans une lettre de la fin de la guerre, écrite par le commandant du réseau Neptune auquel il appartint un certain temps, attestant qu'il effectua de nombreuses et périlleuses missions et que sa conduite et sa bravoure ont toujours été dignes des plus grands éloges, mais il ne supporte pas longtemps une autorité, c'est un trait de son caractère, il faudra que tu t'y fasses, et il change de groupe comme plus tard d'employeurs, le réseau suivant s'appelle Vengeance – c'est un peu grandiloquent mais tu peux comprendre –, et puis on le retrouve agent de renseignement au Deuxième Bureau, engagé volontaire, agent de liaison auprès de l'armée Patton, c'est d'ailleurs à cette occasion qu'il accomplit un très haut fait d'armes de l'amour, détournant par Riancé le convoi américain qu'il était censé guider – pour embrasser qui, selon toi ? –, et puis il y a l'épisode fameux de la moto que racontera Etienne, les Alliés obliquant vers Paris et les frontières de l'est, négligeant les restes de l'armée allemande qui, coupée de ses bases, se retranche farouchement dans ce qu'on appellera des « poches », et celle de Saint-Nazaire qui englobe Random compte parmi les plus redoutables puisqu'elle ne se rendra qu'au lendemain de l'armistice, mais le grand jeune homme qui a participé à la libération de son secteur ignore cette situation et fonce retrouver les siens assis à l'arrière de la moto que pilote Etienne, trente centimètres plus bas, son éternel béret enfoncé jusqu'aux oreilles, tous deux ivres de vent et de cette liberté toute neuve qu'ils fêtent à leur manière en klaxonnant pendant la traversée des villages et slalomant sans raison sur la chaussée, et puis au pied de la côte de Random un barrage allemand, lui se saisissant de ses deux pistolets, un en chaque main, prêt à forcer le passage, « Joseph, tu es fou », hurle Etienne, qui choisit la ruse, ralentit comme s'il obtempérait, et, à hauteur des soldats, remet brutalement les gaz, les balles sifflant autour d'eux tandis que, courbés sur la machine, ils plongent dans un raidillon en contrebas de la route, abandonnant dans un marais la moto dont Etienne le lendemain signalera innocemment le vol, mais cette fois encore il s'en tire, notre grand jeune homme courageux, tu as les meilleures raisons de prendre grand soin de toi, pour toi, pour lui, pour nous, pour ne pas disparaître avant qu'on ait un peu parlé de nous, nous ne sommes pas si importants que d'autres s'en chargent, trop humbles, trop laborieux, et toi disparue en ce jour sombre, qu'advient-il de nous ? qui nous propulsera vers la lumière ? Nous laisseras-tu, pauvres petits néants de rien du tout dans l'antichambre des refusés de la vie ? aie confiance, nous serons glorieux, Freddy est notre seule chance de sortir tous en chœur, d'un même cœur, de l'anonymat, Freddy auquel un hasard tragique réserve un sort funeste à Dresde, parmi les deux cent cinquante mille victimes de cet Hiroshima à l'ancienne, mais dépêche-toi de t'abriter, faut-il pour t'en convaincre te raconter cette photo du jour prochain de vos fiançailles ? vous marchez tous les deux sur une petite route de campagne, toi toute petite à son bras en dépit de tes chaussures à semelles compensées, radieuse dans ton élégant tailleur au col gansé de velours noir et sous ta coiffure savante, le soleil derrière vous étire vos ombres jumelles, devant cette éclatante démonstration de grâce et de jeunesse, comment douter ? c'est sûr, vous serez heureux, vous vivrez dix mille ans, votre chemin sera semé de pétales de roses, alors ne reste pas plantée pétrifiée de terreur sur ce trottoir meurtrier, à côté de toi une femme s'effondre et par son ventre ouvert libère ses entrailles, c'est notre chance, le cri que tu pousses alerte ton gentil cousin qui te repère enfin dans le nuage de fumée et, te tirant par la main, t'entraîne en courant vers les caves du café Molière tandis qu'au même moment, dans le cinéma dévasté, l'écran incendié jette ses derniers feux – ouf, nous sommes sauvés.

CET OUVRAGE A ÉTÉ COMPOSÉ ET ACHEVÉ D'IMPRIMER LE DEUX JUILLET MIL NEUF CENT QUATRE-VINGT-DIX-NEUF DANS LES ATELIERS DE NORMANDIE ROTO IMPRESSION S.A. À LONRAI (61250)
N° D'ÉDITEUR : 3365
N° D'IMPRIMEUR : 991201

Dépôt légal : juillet 1999